101
fables
du monde entier

Pour Charles, Maxence et Marjolaine
C. A.

Illustration de couverture : Gaëtan Dorémus

© 2003 Bayard Éditions Jeunesse
Dépôt légal : septembre 2003 - 2ᵉ édition
Loi 49-956 du 16 juillet 1949 su les publications destinées à la jeunesse
ISBN 978-2-7470-0703-0

Textes choisis et adaptés par Corinne Albaut

101
fables
du monde entier

Illustrées par Magali Clavelet, Floriane Vacher,
Gaëtan Dorémus, Sophie Bazin

BAYARD JEUNESSE

Fables africaines

Illustrées par Magali Clavelet

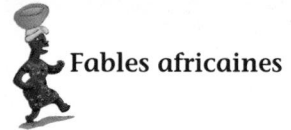
Le noyau de mangue

La fille du lièvre était si jolie
Que de nombreux prétendants désiraient l'épouser.
Ses parents demandèrent à chacun des partis
D'apporter la preuve qu'ils avaient
De quoi nourrir leur fille bien-aimée.

Tous présentèrent alors des régimes de bananes,
Du manioc, des carottes, des ignames,
Quantité de feuilles et de fruits.

Tous, sauf un qui, lui,
Ne possédait qu'un beau noyau de mangue.
Voyant la surprise dans les yeux de chacun,
Il expliqua :
– Vos fruits sont superbes et bien mûrs,
Mais mon noyau deviendra, une fois planté,
Un bel arbre qui nous fournira de quoi manger
Pendant toute notre vie.

Devant un prétendant si sage,
Monsieur et Madame Lièvre n'hésitèrent pas
À lui donner leur fille en mariage.

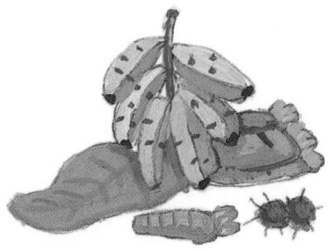

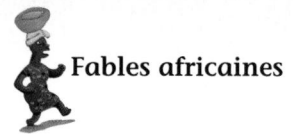

Le vieux chat et les rats

Un vieux chat très rusé fit un pèlerinage.
À son retour, il se prétendit sage
Et annonça aux rats que désormais
Il n'était plus préoccupé
Que de saintes pensées,
Et ne se nourrissait
Que de fruits et de lait.
Peu à peu, les rats s'habituèrent
À le voir plongé dans ses prières.
N'ayant plus peur de lui,
Ils firent comme s'ils étaient amis.
Jusqu'au jour où deux grosses rates
S'étant approchées du félin,
Il prit son élan, et soudain
Les saisit en même temps
De deux coups de pattes,
Et les croqua de deux coups de dents.

Un chat reste toujours un chat.
C'est la leçon qui fut donnée aux rats.

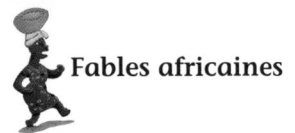
Les revendications du cheval

Le cheval s'adressa un jour au Créateur :
   – En tant que cheval,
   Je ne suis pas mal.
   Cependant, avec un cou plus long,
   Un ventre un peu plus rond,
   Des jambes un peu plus hautes,
   Une poitrine plus large,
   Une croupe dansante,
   Et, peut-être, un appétit moins grand,
   Un moindre besoin d'eau,
   Je serais l'animal idéal.

Le Créateur écouta ses propos,
Et c'est ainsi qu'il créa le chameau.

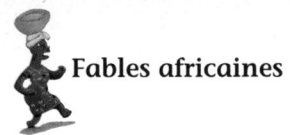

Le hérisson et le chacal

Un jour, le hérisson emmena le chacal
Dîner sur les terres d'un riche paysan,
En se glissant par un trou de la haie.
Le repas était bon. Ce fut un vrai régal.
Mais au moment de quitter le champ,
Le chacal avait le ventre si plein
Qu'il ne put repasser par le même chemin.
Il demanda au hérisson de l'aider.
Celui-ci, pas plus gros qu'une caille,
Nullement gêné par sa taille,
Abandonna son compagnon.

Le fermier survint alors,
Armé d'un gros bâton,
Décidé à tuer le chacal.
L'animal, ventru mais malin,
Le supplia de le laisser partir
Pour dire adieu aux siens,
Jurant qu'il reviendrait là pour mourir.
Il pleura tant et si bien,
Que le fermier se laissa fléchir
Et le poussa dehors.

À l'heure qu'il est, il l'attend encore !

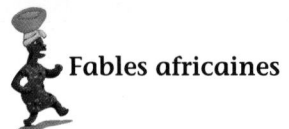

Le lièvre et la panthère

Par malheur, ce jour-là,
Le lièvre se trouva
Entre les griffes d'une panthère.
Voyant sa dernière heure arrivée,
Le lièvre eut alors une idée.

Il prit une grosse voix et lui cria :
   – Recule, misérable,
    Je suis le lièvre redoutable !
La panthère se mit à rire :
   – Pauvre avorton ! De nous deux,
   C'est moi l'animal féroce,
   Je fais trembler même les hommes.
   – Bah ! Ils me craignent plus encore.
   Si tu ne me crois pas,
   Viens avec moi !

Et les voilà partis tous deux vers le village.
Les habitants, effrayés par la panthère,
S'enfuirent et se cachèrent.
Le lièvre triompha :
   – Regarde, ces gens ont peur de moi
   Et se sauvent dès qu'ils me voient !

La panthère, stupide et honteuse,
S'en fut d'un air contrit,
Tandis que le lièvre, ravi,
Tranquillement rentrait chez lui.

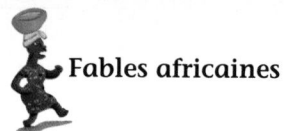

Les trois chiens

Deux chiens se disputaient,
Crocs en avant et griffes dehors,
En grognant haut et fort.
Un troisième chien survint.

Voulant les séparer,
Il s'attaqua à l'un
Pour lui faire lâcher prise,
Prêt à lui expliquer
Que se battre est une bêtise.

Mais le second le mordit au derrière,
Et, en un instant,
Les deux combattants
Se liguèrent
Contre le nouveau venu
Qui prétendait régler leur affaire.

L'intrus se sauva aussi vite qu'il put.

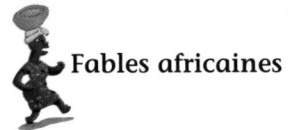

Le lièvre et l'autruche

L'autruche, devant tous ses amis,
Avec le lièvre fit un pari :
– Tu cours vite, dit-on !
Faisons la course, et nous verrons
Qui de nous deux l'emportera.

À peine étaient-ils partis,
Que le lièvre s'écria :
– J'entends les chasseurs à nos trousses,
Vite, vite, achevons notre course !

Mais l'autruche, affolée, préférant se cacher,
Plongea aussitôt sa tête peu fière
Tout au fond d'une termitière.

C'est ainsi que le lièvre arriva le premier.

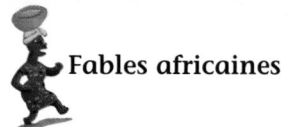

La tortue astucieuse

Monsieur Tortue, fort amoureux,
Désirait épouser sa belle.
Le père de celle-ci posa ses conditions :
    – Pour ma fille, jeune homme,
    Il vous faudra nous apporter
    Trois gerbes d'eau, nouées
    Avec un brin de ficelle.

La tortue réfléchit et répondit
Du ton le plus sérieux :
    – C'est entendu. Convenons
    Que je les confectionnerai
    Dès que vous m'aurez fabriqué
    Le brin de ficelle
    Avec la fumée de votre pipe, cher Monsieur !

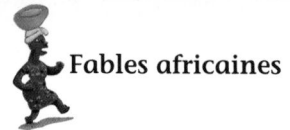

Le lion et le lièvre

Le lièvre sur sa route rencontra le terrible lion.
Celui-ci s'apprêtait à en faire son repas,
Quand le lièvre lui dit : – Oh là !
Deux lions sur un même territoire !
C'est à ne pas croire.
– Comment, deux lions ? rugit le roi de la forêt.
– Je viens d'échapper à ton frère
Qui après moi courait.
– Qui ose chasser sur mes terres ?
– Un noble et jeune animal. Si tu veux le voir,
Je sais où le trouver.
Le lièvre alors le mena
Jusqu'au bord de l'étang.
– Penche-toi, il est là qui t'attend !
Le lion se pencha au-dessus de la mare.
Il y vit son reflet, comme dans un miroir.

Furieux, il plongea dans l'eau et s'y noya.

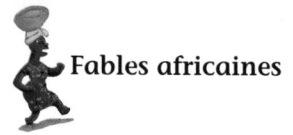

Le paysan et les deux chats

Un paysan avait un poulailler
Où caquetaient des poules et des poulets.
Mais, chaque nuit, en grand secret
Une volaille disparaissait.

– C'est toi le voleur !
Cria-t-il à son chat.
C'est dans mon poulailler
Que tu prends tes repas !

Le chat jura sur l'honneur
Qu'il n'avait touché
Ni poule ni poulet.

– Non seulement tu voles, mais tu mens !
L'accusa le paysan.
Si ce n'est toi, nous allons voir
Qui donc commet le forfait.

Ce soir-là, lorsqu'il fit bien noir,
Le fermier tendit un piège discret
À l'entrée du poulailler,
Pour en avoir le cœur net.
Le lendemain, la preuve était faite :
Il trouva, enfermé dans sa cage,
Un chat sauvage.

Il ne faut pas porter d'accusation
Sans avoir de bonnes raisons !

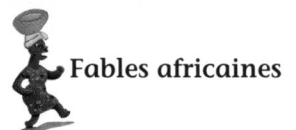
L'arc idéal

Un chasseur possédait
Un arc idéal.
Jamais sa cible il ne ratait.
Visait-il un animal ?
Sa flèche s'envolait
Droit au but et touchait
La proie convoitée.
Or, le chasseur restait insatisfait.
– J'en peux encore améliorer
La précision et la rapidité.
Il suffit d'effiler le bois, car, plus souple il sera,
Plus loin il enverra
Les flèches meurtrières.
Il prit donc son couteau
Et retailla l'objet.
Copeau après copeau,
Il le rendait plus fin,
Quand soudain l'arc se brisa net.
L'arme dont il était si fier
N'était plus qu'un brin de bois sec.

À vouloir trop bien faire
On ne fait rien de bien !

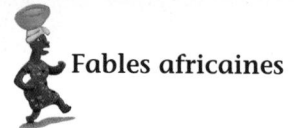

Le dîner du lion

Les animaux de la brousse
Un jour se réunirent tous,
Des insectes au python,
Pour chercher une solution
À un problème dû à leur nature :
Comment éviter de s'entredévorer.
Chaque animal se plaignit
De servir de pâture
À plus puissant que lui.
Que faire lorsque la faim
Vous pousse à agir ainsi ?
Et patati, et patata...
Soudain, le lion s'impatienta :
– Je propose qu'on laisse là
Le sujet de la discussion.
C'est l'heure de mon dîner
Et l'important, pour moi,
Est d'attraper une proie
Et de la dévorer.

En un instant, les animaux de toutes races
S'éparpillèrent dans les bois,
Grimpant, sautant, courant, aux abois,
Tandis que le roi lion
Partait en chasse.

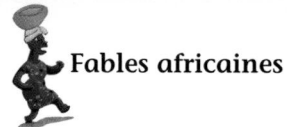

L'autruche prétentieuse

L'autruche, un jour, dit au moineau,
En le regardant de très haut :
– As-tu vu ma grande taille,
Ma force et mon importance ?
Toi, misérable volaille,
Tu me dois l'obéissance.

À ce moment, l'on entendit
Des chasseurs, des coups de fusil.
L'autruche fut touchée,
Le moineau s'envola.

Un si piètre gibier
Ne les intéressait pas.

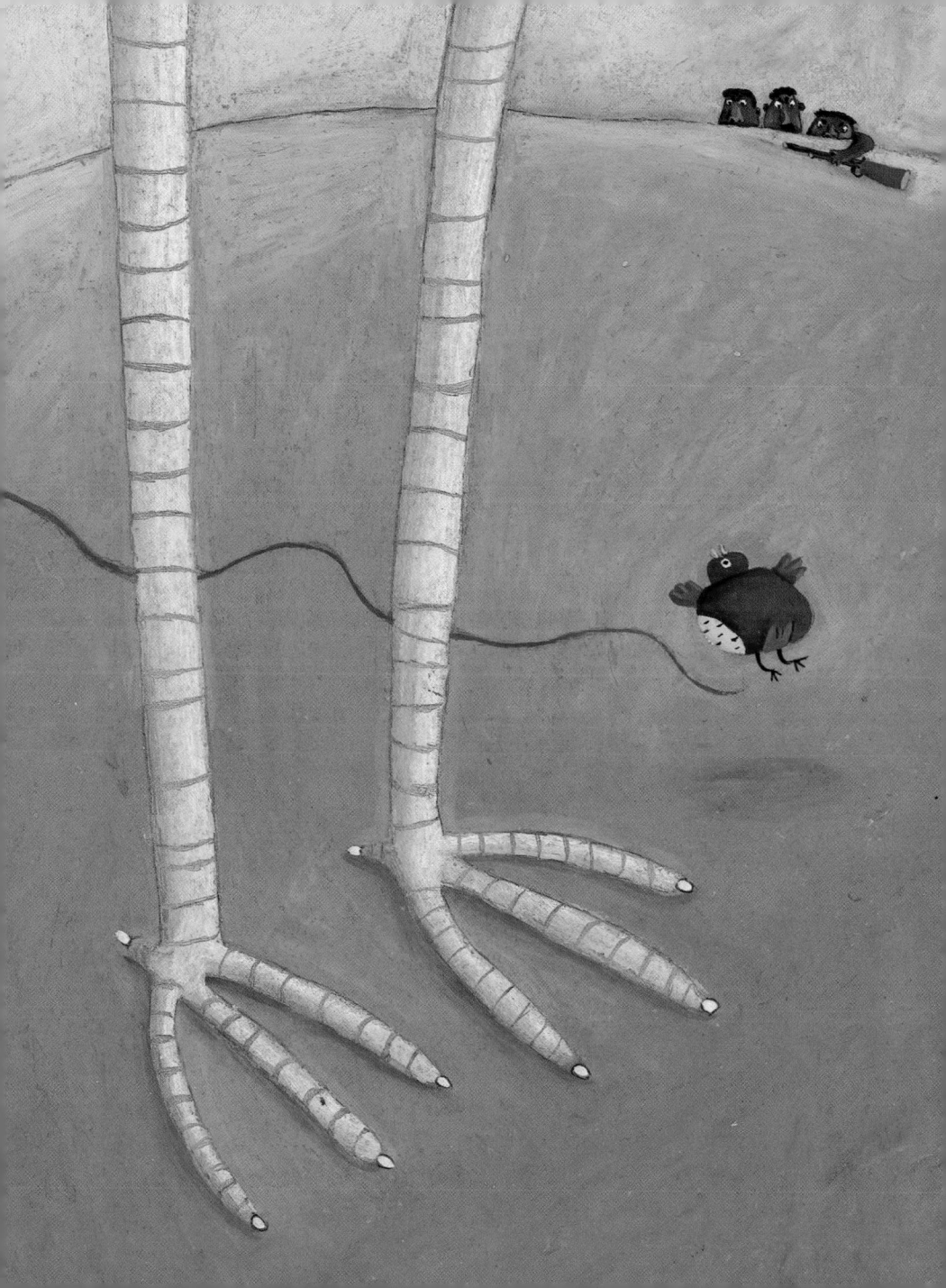

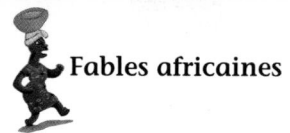

Les trois fils

Un vieil homme, prêt à mourir,
Appela ses trois fils et leur dit :

– J'ai peu de bien ;
Divisé par trois, cela ne vaudrait rien.
J'ai donc décidé de tout léguer
À celui de mes fils
Qui se montrera le plus malin.
Voici, pour chacun, une pièce de monnaie,
Utilisez-la pour remplir notre case.

Le premier acheta de la paille,
Mais il n'en put avoir assez
Pour remplir le logis.

Le second acheta des plumes,
Cela ne suffit pas non plus.

Le troisième acheta une bougie,
Il l'alluma, et sa lumière
Se répandit dans la case tout entière.

Ce fut lui qui reçut l'héritage du père.

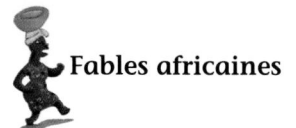

La hyène stupide

Une hyène, trouvant un chevreau mort,
S'en va cacher sa proie en son logis.
Or, la dépouille sent un peu fort.
L'odeur dans le clan sème le doute :

– Ohé, l'amie,
Aurais-tu trouvé sur ta route
Quelque chose de bon à manger,
Et que nous pourrions partager ?

> – Un monceau de carcasses, mes sœurs.
> Allez voir au village voisin,
> Il y a de quoi faire un festin,
> Se régaler pendant des heures.

Riant de joie à perdre haleine,
La horde s'élance, alléchée,
Dans la direction indiquée,
Pour profiter de l'aubaine.

– Tiens ! se dit alors notre stupide hyène,
Oubliant qu'elle avait menti,
Pour s'exciter ainsi,
Elles doivent avoir une raison.
Allons voir de quoi il est question !

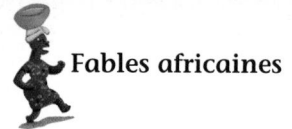

Le meilleur des animaux

Les animaux discutaient de leurs mérites :
– Je suis le plus féroce, disait le lion.

Le guépard se targuait de courir le plus vite.

– Moi, je suis le plus gros, barrissait l'éléphant.

La girafe mettait sa haute taille en avant,

L'aigle prétendait voler le plus haut,

La vipère vantait sa morsure redoutable,

La brebis, sa patience inégalable,

Le python, le nombre de ses anneaux.

Pour finir, ils demandèrent
À l'homme son avis : – D'après vous,
Quel est le meilleur d'entre nous ?

– C'est sans aucun doute la vache laitière,
Car c'est elle qui me fournit le lait !

Chacun juge en fonction
De son propre intérêt.

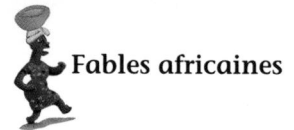

La gifle

Un homme pauvre et un homme aisé
Se disputaient.
Le riche s'impatienta
Et soudain gifla son adversaire.
On fit appel au juge
Pour arbitrer l'affaire.
Il réfléchit et décida
Que la victime recevrait
Un bol de riz de l'homme aisé.
Le pauvre alors
Se tourna vers le juge
Et le gifla à son tour.
Celui-ci, très surpris, lui dit :
– Qu'est-ce que cela signifie ?
– Rien, juste une envie.
Puis, s'adressant au riche :
– Payez donc l'offense à ce juge.

La gifle, selon lui,
Ne vaut qu'un bol de riz !

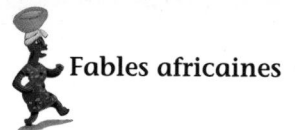

Le singe, la girafe et le lézard

Un jeune singe s'apprêtait
À traverser une rivière.
Une grande girafe buvait,
Juste à cet endroit-là.
Le singe alors lui demanda :
– L'eau est-elle profonde ?
– Profonde ? Pas du tout,
Elle m'arrive à peine aux genoux.
Il hésitait encore. Par hasard,
Il aperçut un lézard.
Il lui posa la même question.
– Hélas, répondit celui-ci,
Si profonde est la rivière
Que ma femme s'y est noyée hier.
Inquiet, le petit singe alla voir sa mère,
Pour lui expliquer la situation.
– Réfléchis, lui dit-elle,
Le lézard est petit, la girafe est immense.
Tu es entre les deux,
Fais ta propre expérience.

Tu découvriras que chacun
Voit le monde différemment,
Selon qu'il est minuscule ou géant.

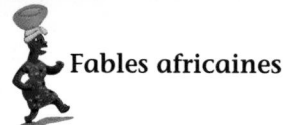

Les amis des amis

Un homme reçut de son voisin
Une poule en cadeau,
Et tous deux se régalèrent du festin.

Le lendemain, on frappa à sa porte :
– Bonjour ! Je suis l'ami de l'homme
Qui vous offrit la poule.
– Entrez et partageons les restes du dîner !

Le jour suivant, se présenta
Un autre individu :
– Je suis l'ami de l'ami de l'homme
Qui vous offrit la poule.
– Entrez, dit l'hôte à l'inconnu,
Nous allons déjeuner.

Mais, cette fois, il tendit à son invité,
Un bol fumant, rempli
De bouillon tout clairet.
– Que me donnez-vous là ? dit celui-ci, surpris.
– C'est la sœur de la sœur de l'eau
Dans laquelle a cuit
La poule de l'ami de votre ami
Qui me l'offrit en cadeau !

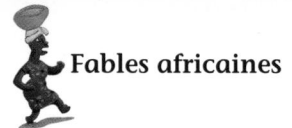

La panthère et le renard

La panthère était en chasse
Lorsqu'elle rencontra
Le renard sortant du bois.
– Bienvenue ! lui dit-elle,
J'espérais mieux toutefois,
Mais, à défaut de gazelle,
Tu me serviras de repas.

Le renard, sans se démonter, lui fit face :
– Accepterais-tu de me faire grâce
Si je te disais deux vérités ?
La panthère fut prise de curiosité
Et répondit d'un air amusé :
– Je tiens le pari, tâche de m'intéresser !
– La première de ces vérités,
C'est que tu n'es pas très affamée,
Sinon tu m'aurais déjà dévoré !
La panthère admit que cela était vrai.
– Et maintenant, que vas-tu ajouter ?
– Si je raconte aux autres animaux
Ce qui m'est arrivé,
Personne n'en croira un traître mot.
– Tu as raison, dit la panthère épatée,
Ton esprit t'a sauvé !
File, et ne croise plus mon chemin
Car, ce jour-là, je ne t'écouterai point.

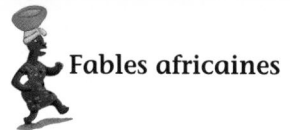

Le chien et l'os

Un chien s'acharnait sur un os,
Donnant des coups de crocs
De tous côtés,
Sans se lasser.
Un autre chien vint à passer
Qui s'étonna de son ardeur :

– Pourquoi t'évertuer
À briser ce fémur,
Qui me semble très dur,
Quand tu n'as qu'à baisser la tête
Pour manger une pâtée toute prête !

– Je veux casser cet os,
Répondit l'animal,
Car je sais qu'à l'intérieur
Il renferme une moelle
Qui surpasse en saveur
Tout ce que tu connais !

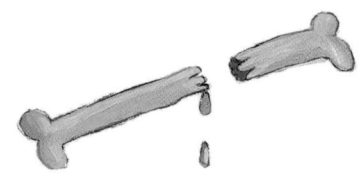

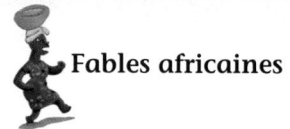
La défense de l'éléphant

Traversant une rivière, l'éléphant
Perdit malencontreusement
Une défense d'ivoire blanc.
Aussitôt, il se met à chercher
Devant, derrière, de tous côtés.
De sa trompe et de ses pattes,
Il remue l'eau, la boue, la vase,
Si bien qu'à la fin
Il n'y voit plus rien.

Les autres animaux lui crient :
– Calme-toi, l'éléphant !
Ton agitation, tes mouvements,
Ne font que troubler l'eau.
Attends qu'elle repose.

L'infortuné écouta leur avis.
Après qu'il eut fait une pause,
L'eau de la rivière
Redevint toute claire,
Et l'éléphant vit tout à coup
Sa défense étalée sur un lit de cailloux.

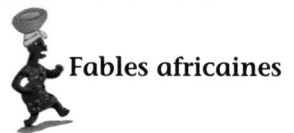

Le petit de la lionne

Madame Lièvre se vantait
Auprès d'une lionne :

– Je donne naissance, chaque année,
À plusieurs portées de petits,
Alors que toi, tu n'en fais qu'un !

– C'est vrai, répondit la lionne,
Avec un peu de mépris,
Mais retiens bien ceci :
Toi, tu ne fais que des lapins,
Alors que mon rejeton,

Lui, est un lion !

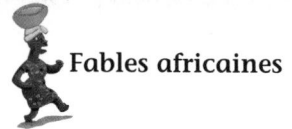
Le lièvre et le caïman

Le lièvre un jour se reposait
À l'ombre d'un palétuvier,
Au bord d'un marigot.
Un caïman vint à passer.
« Quelle aubaine, pensa-t-il,
Voilà mon déjeuner
Qui m'attend bien tranquille
Au bord de l'eau. »
– Je n'en ferai qu'une bouchée !
S'exclama-t-il, sûr de son fait.
Le lièvre, s'éveillant, réagit aussitôt :
– Une bouchée, vous plaisantez !
Votre bouche est bien trop petite.
Le caïman, vexé, grogna :
– Ma bouche, trop petite ? Tu vas voir !
Regarde donc, pauvre avorton !
Il l'ouvrit toute grande.
Le lièvre, sans attendre,
Coinça un gros bâton
Dans l'énorme mâchoire
De la cruelle bête.
Le temps qu'elle s'en dégage,
À coups de pattes, à coups de tête,
Le lièvre avait déjà pris le large.

Le renard et le fermier

Un renard affamé
Cherchait sa nourriture.
Il trouva un verger
Cerné d'une clôture,
Mais parvint, par un trou,
À s'y introduire.
Il mangea tant de fruits
Qu'il n'en put ressortir :
Son ventre avait grossi.
Heureusement pour lui,
Le renard est rusé.
Lorsqu'il vit le fermier approcher,
Il s'allongea de tout son long,
En fermant les yeux.
Le paysan, le découvrant alors,
Pensa qu'il était mort.

*– Maudit renard, tu as mangé mes fruits !
Mais te voici bien puni.*

Il attrapa l'animal par la queue
Et le jeta de l'autre côté
De la clôture du verger.
Le voleur prit la fuite,
Et il courut si vite
Qu'on ne l'a jamais retrouvé.

Fables orientales

Illustrées par Floriane Vacher

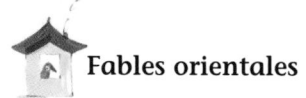

Le lion élevé par des moutons

Un lionceau abandonné
Fut recueilli par des brebis.
Avec elles, il apprit
À brouter de l'herbe, à bêler,
Si bien qu'il se crut mouton.
Comme eux, il avait peur du lion,
Du loup, de l'aigle et du chacal.

Un jour, un lion s'approcha du troupeau,
S'empara de l'animal
Et l'emmena au bord de la rivière.
La pauvre bête, affolée, se mit à pleurer,
Croyant sa dernière heure arrivée.

– Pourquoi pleures-tu ? dit le lion.

  – Parce que vous allez me manger.

– Manger un de mes semblables !
Voyons, je ne t'ai amené ici
Que pour me tenir compagnie.
Le lionceau, alors, se pencha sur l'eau
Et vit, côte à côte, leurs reflets.

C'est ainsi qu'il apprit
Quel animal il était.

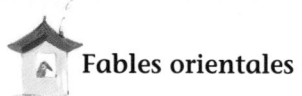

L'ours et le bûcheron

Un ours s'était pris d'amitié
Pour un bûcheron qui lui avait sauvé la vie.
Il suivait son maître partout
Comme un ami sincère et dévoué.

Un jour que l'homme faisait sa sieste
Sous le regard attentif de l'ours,
Une mouche vint se poser sur son nez.
L'ours, voulant protéger
Le repos de son bienfaiteur,
Ramassa un caillou qu'il jeta sur la mouche,
Tuant d'un même coup
L'insecte et le dormeur.

Un ami bête et sans discernement
est parfois plus dangereux
qu'un ennemi intelligent.

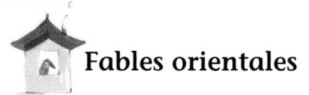

Le peintre chinois

Un grand peintre chinois
Avait reçu commande
De portraits d'animaux :
Des chiens et des chevaux.
Puis on lui demanda,
Pour un autre tableau,
Des monstres et des fantômes.

Quand on l'interrogea sur les difficultés
Qu'il avait rencontrées,
Le peintre répondit :
– Créer des monstres et des fantômes
Est une chose aisée,
Car ils sortent de mon esprit
Et nul ne peut les comparer
Avec la réalité,
Tandis que chacun
Connaît les chevaux et les chiens
Et peut donner son avis.

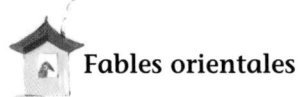
Le lièvre et le crocodile

Un lièvre, croyant voir un crocodile
Qui se prélassait dans l'eau claire,
Fut saisi de crainte et de méfiance.
Dans le doute, il s'interrogea :
« Est-ce un tronc d'arbre ou un reptile ? »
Pour en avoir le cœur net, il cria :
– Si tu es un crocodile,
Laisse-toi flotter dans le courant !
Si tu es un tronc d'arbre,
Remonte la rivière !

Le crocodile, voulant le tromper,
Pour en faire son déjeuner,
Remonta le courant.
Ainsi, le lièvre fut renseigné,
Car on n'a jamais vu
Un tronc d'arbre flotter
Dans le sens inverse de l'eau.

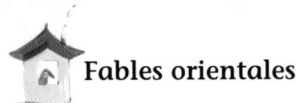

La niche du chien

Un chien se plaignait, en hiver,
De n'avoir pas de maison
Et de mourir de froid.
« Lorsque l'été viendra, se jura-t-il,
Je me construirai une niche en pierre,
Avec des murs et un toit
Pour m'abriter à la mauvaise saison. »

Mais lorsque vint l'été,
Il eut autre chose à faire :
Batifoler, s'amuser,
Courir dans les bois et les prés.
La vie était si belle
Qu'il avait tout oublié
Du froid, de la neige et du gel.

Quand l'hiver revint,
 L'animal insouciant se rappela soudain
  La promesse qu'il s'était faite.
   Hélas ! il était bien trop tard !
   Finis les jeux, finie la fête.
   Il ne lui resta que son désespoir
   Pour affronter la saison cruelle.

70

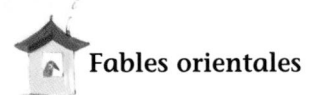

La valeur du bruit

Un musicien de grand talent
Manquait cruellement d'argent.
Il rencontra un riche marchand
Et lui proposa sa musique
En échange de quelque monnaie.

Le musicien prit sa cithare
Et produisit trois mélodies
Si ravissantes qu'on eût dit
Que l'instrument était magique.

Mais le marchand était avare.
Quand le moment fut venu
De payer l'artiste, il lui dit :
– Tu m'as offert des sons
Que je ne peux toucher,
En retour, tu auras
Le bruit de ma monnaie.

Et il fit tinter quelques piécettes
Pour s'acquitter de sa dette.

Le musicien ne reçut rien de plus.

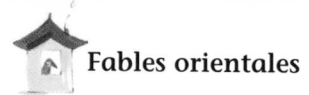
Le poids du chat et des poissons

Un jour, un homme convia ses amis
À un festin de poissons frais.
Au moment de passer à table,
Il dit à son épouse :
– C'est l'heure du déjeuner
Et nous sommes en appétit,
Apporte les poissons à nos invités !

Mais celle-ci, gourmande, avait tout mangé.
Elle lui répondit :

– Si tu veux tes poissons, demande-les au chat,
Il a dévoré le repas.

L'homme prit le matou et le pesa.
Puis il se tourna vers sa femme :

– J'ai acheté cinq kilos de poissons,
C'est le poids exact du chat.

Soit j'ai pesé le chat
Qui n'a pas mangé les poissons,

Soit c'est le poids des poissons,
Et, dans ce cas, où est le chat ?

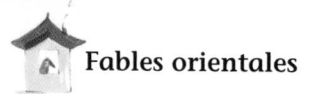

Les singes et le marchand de chapeaux

Un marchand s'était installé
Sur la place du marché
Et vendait des chapeaux aux passants.

Un groupe de singes l'observait.
Le voyant mettre un chapeau sur sa tête
Pour convaincre un client,
Ils voulurent en faire autant.
Ils s'emparèrent des chapeaux
Et s'enfuirent dans les arbres
En faisant des pirouettes.

Le marchand agita les bras comme un moulin.
Les singes l'imitèrent.
Le marchand, mécontent, tapa du pied.
Les singes eux aussi tapèrent.
Le marchand leur montra le poing.
Les singes aussi le menacèrent.

Le marchand ne savait plus quoi faire,
Quand, soudain, une idée lui vint :
Il jeta son chapeau à terre.
Les animaux le singèrent.
Il se dépêcha de les ramasser
Et les rangea dans son panier.

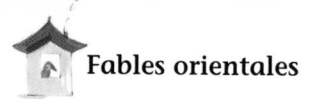
Le sculpteur

Un grand sculpteur, un jour,
Révéla son secret
À son entourage.
– Pour sculpter un visage,
Deux règles sont à respecter :
Faire un nez trop grand,
Pour commencer,
Car on peut toujours
Le diminuer,
Puis des yeux trop petits,
Car ils peuvent être agrandis.
C'est toujours ainsi
Qu'il faut procéder :

Bien réfléchir
Avant d'agir,
Car certaines actions,
Une fois commises,
Ne peuvent être corrigées.

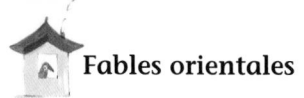

Le froid et le chaud

Deux amis marchaient dans la neige.
– J'en ai assez, du froid, dit le premier,
Je voudrais que ce soit l'été !

> – Quand l'été sera là,
> Tu te plaindras de la chaleur
> Et regretteras la fraîcheur de l'hiver.

– Peut-être, mais aujourd'hui je suis transi.

Le second des deux hommes eut alors une idée.
Il creusa un trou dans la neige
Et fit un feu avec du bois.

> Puis il dit à son ami :
> – Tu n'as qu'à te coucher contre le brasier.
> D'un côté, tu sentiras la morsure du froid,
> De l'autre, la chaleur du feu.
> Tu auras ainsi l'une et l'autre à la fois.

> *Le bonheur se trouve dans le juste milieu.*

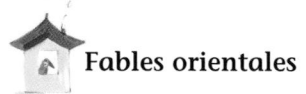

Les trois poissons
et les pêcheurs

Dans un lac vivaient trois poissons.
Un jour, des pêcheurs, en passant,
Aperçurent les trois compagnons,
Et décidèrent sur-le-champ
De lancer leur filet.

Le premier poisson dit à ses compères :
– Nous sommes en danger !
Filons d'ici rapidement.
Mais personne ne l'écouta.
Il partit donc seul vers la rivière.

Tandis qu'on lançait le filet,
Le deuxième poisson
Comprit qu'il était encore temps
De trouver une solution :
Il fit semblant d'être mort,
Se laissant porter par le courant,
Sans bouger, le ventre en l'air,
Et les pêcheurs l'abandonnèrent.

Quant au troisième poisson,
Qui avait trop tardé,
Il se retrouva prisonnier.

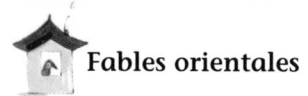

Le plus vieux des animaux

Le renard était en voyage
Avec le chacal et le chameau.
Après avoir longtemps marché,
Ils n'avaient plus dans leurs bagages
Qu'une seule galette à manger,
Bien trop petite pour être partagée.
Lequel d'entre eux allait en profiter ?

Après bien des discussions,
Des disputes, des hésitations,
Ils décidèrent qu'elle reviendrait
Au plus âgé des trois.

– J'ai presque cent ans, dit le chacal,
Qui peut en dire autant ?
– Oh oh, dit le chameau, moi je suis né
Bien longtemps avant toi.
– Qui peut nous le prouver ?
Rétorqua le chacal.
– Moi, affirma le renard,
Je m'en souviens très bien,
Car j'étais présent ce soir-là !
Il reçut donc la galette
Et la croqua.

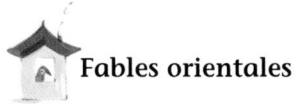

Le savoir de l'artiste

En traversant la rivière,
Un artiste épris de culture
Dit au batelier :

– Que connais-tu de la peinture ?

– Ma foi, je n'en connais rien.
– Alors, tu as perdu un tiers de ta vie.

Et en musique, que connais-tu ?

– Je ne connais rien non plus.
– Un deuxième tiers de ta vie est perdu.

Il s'apprêtait à interroger
Le marinier sur la sculpture,
Lorsque le vent se leva
Et que des vagues secouèrent
La jonque et ses passagers.
Le batelier dit à l'artiste :

– Que connaissez-vous de la nage ?

– Hélas, je n'en connais rien.
– C'est bien triste et fort dommage,
Car votre vie entière
Sera bientôt perdue !

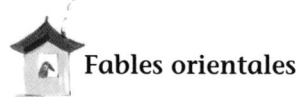

Le jugement des autres

Un homme avisé avait un fils
Qui craignait le jugement des gens.
Il lui dit :
– Demain, nous irons ensemble au marché.
Ils partirent, lui sur le dos de l'âne
Et son fils à côté.
Les gens s'écrièrent :
– Avez-vous vu cet homme sans pitié
Qui voyage à dos d'âne quand son fils est à pied !

Le lendemain, ils firent le contraire.
Ils entendirent alors ce commentaire :
– Que cet enfant est mal élevé :
Tandis qu'il est assis, il fait marcher son père !

Le troisième jour, ils marchèrent tous deux,
En tirant l'âne derrière eux.
– Comme ils sont stupides, dirent les gens,
De ne pas utiliser leur monture !

La fois suivante, ils enfourchèrent l'âne,
Et les gens indignés plaignirent la pauvre bête
De la charge qu'elle avait à subir.

Quand enfin ils arrivèrent au village
Portant l'âne sur leur dos,
On s'écria : – Dieu qu'ils sont sots
De porter l'âne au lieu de se faire porter !

– Tu vois, conclut le père, comme les gens sont stupides !
Fais selon ton idée, et sans les écouter.

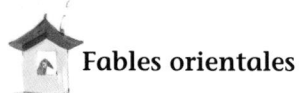

Le jeu de l'éléphant

Quatre hommes, dans la nuit noire,
Furent mis en présence d'un éléphant.
Le jeu consistait à deviner
De quoi il s'agissait,
Rien qu'en le touchant.

Le premier palpa son corps et dit :
– Cela ressemble à un mur !

Le second caressa une défense et dit :
– C'est plutôt un croissant de lune !

Le troisième posa sa main sur la trompe et dit :
– Je crois que c'est un tuyau !

Le quatrième effleura l'oreille et dit :
– C'est un éventail, il me semble.

Le lendemain, à la lumière,
Ils constatèrent leurs erreurs
En découvrant l'éléphant.

On ne peut juger d'une affaire
Que si l'on en possède tous les éléments.

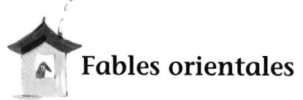

La grue et l'épervier

Une grue vivait au bord de l'eau,
Se nourrissant d'insectes et d'escargots.
Elle aperçut un épervier
Donnant la chasse à une perdrix.
« Pourquoi, pensa-t-elle, a-t-il droit
À des mets de rois,
Tandis que je me contente
D'une modeste pitance ? »

Une autre perdrix vint à passer par là.
La grue décida d'en faire son repas.
Elle s'envola, et s'abattit
De tout son poids sur l'oiseau.
Mais elle n'avait ni le bec,
Ni la force, ni les serres qu'il faut
Pour enlever la proie.

Elle dut renoncer à ses ambitions
Et se contenter d'un limaçon.

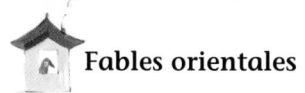

Les deux serviteurs

Un roi voulait engager un serviteur.
Il choisit deux de ses sujets,
Et, pour les départager,
Les interrogea tour à tour.
– Je vois dans ton ami, dit-il au premier,
Un menteur, un fourbe, un envieux.
– Vous m'en trouvez surpris,
J'ai de lui une autre opinion,
Je le crois sincère, honnête et bon.
– De plus, ajouta le roi,
Il ne dit pas du bien de toi !
– Ce en quoi il a raison,
Car je suis loin d'être parfait.
J'ai de nombreux défauts que mon ami connaît.

Puis le roi s'adressa au second serviteur,
Lui assurant que le premier
Avait médit de lui.
L'homme se mit en colère
Et proféra des critiques violentes
Contre son adversaire,
Le traitant d'hypocrite et de faux frère.

Le roi, alors, l'interrompit.
Il en savait assez,
Et son choix était fait.

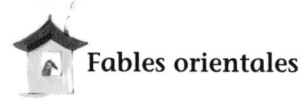

Le chat et les deux oiseaux

Une perdrix avait élu domicile
Au creux d'un vieux bouleau.
Un jour, rentrant de la ville,
Elle découvrit chez elle un autre oiseau.
– Que faites-vous dans ma maison ?
Dit-elle à l'effronté. Sortez de là !
– L'endroit me plaît. Je ne sortirai pas.

Les deux oiseaux se disputèrent.
Aucun d'eux ne voulut céder.
Finalement, ils décidèrent
D'exposer leur cas à un sage :
C'était le plus vieux chat du village.
– Approchez, faites un effort,
Je suis un vieil animal,
Il faut me parler tout près, et bien fort,
Car j'entends très mal.
Les deux volatiles,
Absorbés par leur querelle,
Vinrent lui parler à l'oreille.

Le chat, d'un coup de pattes agile,
Les saisit
Et les dévora de grand appétit.

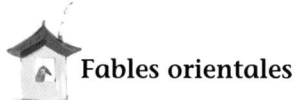

L'artiste et le prince

Un peintre de grand talent
Vivait dans un grand dénuement.
Il ne possédait que ses toiles et ses pinceaux.
Un prince vint à passer.
Il s'arrêta, regarda les œuvres de l'artiste
Et lui dit :
– Comment se fait-il qu'avec un tel talent
Tu vives à l'écart et dans la pauvreté ?
Viens à la cour, tu y seras très apprécié !
– Je préfère ma vie dans mon humble demeure.
À la cour, il me faudrait obéir au Seigneur,
Honorer des commandes, accepter des invitations,
Faire des courbettes, des concessions,
Tandis que, seul dans ma masure,
Je me consacre à ma peinture
Et crée en toute liberté.
Le prince le trouva plein de sagesse,

Car vivre en accord avec sa pensée
Est la plus grande des richesses.

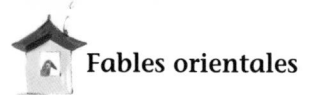

Les onze ânes

Un paysan simplet
Se rendit au marché
Pour acheter dix baudets.
Juché sur le premier, il retourna chez lui,
Par les neuf autres suivi.

S'arrêtant en chemin pour les compter
Et s'assurer qu'on ne l'avait pas volé,
Le fermier n'en trouva que neuf,
Oubliant celui sur lequel il était assis.

Notre homme sauta à terre,
Courut la campagne
Et chercha sans succès les voleurs.
Il revint bredouille au troupeau,
Et compta dix animaux.

L'expérience renouvelée plusieurs fois
Produisit les mêmes résultats.
Le paysan conclut
Que les voleurs lui rendaient l'animal
Lorsqu'ils se voyaient poursuivis,
Par crainte d'être punis.
Tout fier, il raconta l'affaire à sa femme.
Mais celle-ci le toisa avec mépris :

– Je ne vois pas dix ânes devant moi,
        mais plutôt onze, avec toi !

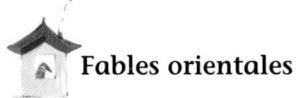

Une tortue et deux canards

Une tortue décida de partir en voyage
Avec ses deux amis les canards.
Comme elle ne pouvait pas voler
Ils s'engagèrent à la transporter,
Accrochée par la bouche à un bâton
Que chacun tiendrait en son bec.
– Ceci n'est possible qu'à une condition :
C'est que vous n'ouvriez la bouche
Pour aucune raison.
La tortue promit.

Ils s'élevèrent dans les airs,
Survolèrent forêts et rivières.
La balade était magnifique,
La tortue était enchantée.
Les voyant passer au-dessus d'un village,
Les habitants n'en crurent pas leurs yeux.
Ils se mirent à pousser des cris joyeux
Et à faire mille compliments
À ce curieux attelage volant.
La tortue en fut si flattée
Qu'elle voulut leur lancer un salut amical.

Hélas, elle ouvrit la bouche,
Et le pauvre animal
Tomba et s'écrasa
Aux pieds des villageois.

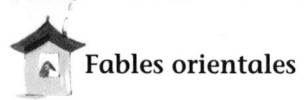
Le moustique et son bateau

Au milieu d'une flaque d'eau,
Un moustique sur une brindille
Scrute l'horizon et s'égosille :
– Regardez-moi, et voyez mon bateau !
Il flotte sur l'océan,
C'est un paquebot géant !
Soudain, une brise légère
Agite la surface de l'eau.
Le moustique, se croyant en mer,
Se met à crier plus fort :

– Ohé, matelots ! Voici la tempête !
Que chacun s'accroche à son bord
Et le capitaine vous mènera au port !

*Dans le monde, tout est question
de mesures et de proportions !*

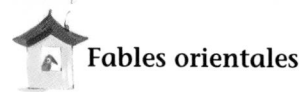

L'avarice du noyé

Au bord d'une rivière, un homme se noyait.
Des passants s'attroupèrent.
Chacun d'eux lui criait :

    – Donne-moi ta main, donne-moi ta main,
    Je vais te tirer de là !

Le malheureux se débattait,
Mais ne la donnait pas.
Il était près de couler
Lorsqu'un homme fendit la foule :
– Écartez-vous, c'est mon voisin,
Et je le connais bien,
C'est un fieffé avare, ne lui demandez rien,
Il préfère mourir que de donner
Quoi que ce soit.
Il s'approcha de la rivière et cria :

    – Prends ma main, voisin, prends ma main !

Cette fois, l'avare obéit
Acceptant l'aide qu'on lui offrait,
Et il fut sauvé.

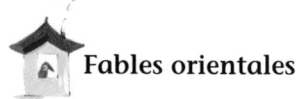

L'âne et les chevaux du roi

Un âne avait pour maître un pauvre bûcheron.
Il transportait du bois contre une maigre pitance
Et regardait avec envie
Passer les chevaux du roi,
Harnachés, bien traités et bien nourris.

Le palefrenier le prit en pitié
Et l'invita à passer quelque temps
Dans les écuries royales
Afin de profiter d'une vie luxueuse.
L'âne connut les brassées de foin généreuses,
Les litières propres et moelleuses.

Il commençait à prendre goût
À cette vie heureuse,
Quand, une nuit, les guerriers
Vinrent à l'écurie, sellèrent les chevaux
Et partirent en guerre au grand galop.

Les pauvres bêtes, à leur retour,
Étaient couvertes de blessures,
De plaies et de déchirures.
L'âne, sans demander son reste,
Quitta l'écurie sur-le-champ,
Et retourna dans sa forêt, bien content.

Fables
grecques et latines

Illustrées par Gaëtan Dorémus

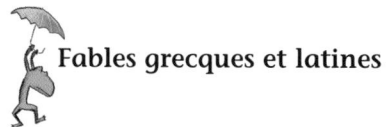

Le roseau et l'olivier

L'olivier, fier de ses bras noueux
Et de son tronc vigoureux,
Se moquait du frêle roseau
Qui ployait au gré des vents.
Le roseau ne répondait point,
Mais attendait son heure.
Il n'attendit pas longtemps.
Voilà qu'un ouragan
Se lève avec fureur.
L'olivier, d'abord, lui tient tête.
Le roseau se courbe humblement.
Le vent déchaîné
Redouble de violence,
Si bien que l'olivier,
À bout de résistance,
S'abat dans un fracas
De racines arrachées,
Tandis que le roseau
Continue de se balancer
De-ci, de-là,
Sans s'inquiéter.

Devant plus fort que soi,
Mieux vaut céder, comme on le voit !

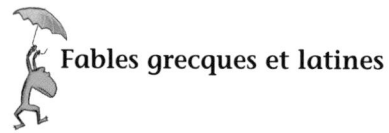

La tortue et le lièvre

La tortue, lassée des moqueries
Que le lièvre lui prodiguait,
Lui lança un jour un défi :
– Faisons la course, et nous verrons
Lequel de nous deux gagnera !
Le lièvre trouva l'idée cocasse :
– A-t-on jamais vu une tortue,
Traînant sa carapace,
Me surpasser en vitesse ?
– L'épreuve nous le dira.
Que Maître Renard soit notre témoin !
Le départ fut donné.
La tortue se mit en chemin.
Le lièvre, persuadé
Qu'il avait le temps de faire une sieste,
S'endormit sous un buisson.
Lorsqu'il s'éveilla enfin,
La tortue était près du but.
Pris de panique, il courut, il courut,
Aussi vite qu'il put.
Mais, hélas, il était trop tard,
Et le juge, Maître Renard,
Déclara vainqueur la tortue.

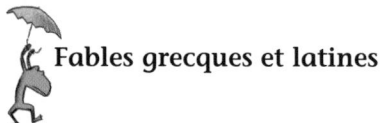

La chauve-souris et les belettes

Pour son malheur, une chauve-souris tomba de sa branche.
Une belette s'en saisit, prête à en faire sa pitance.
La chauve-souris supplia :
– Je vous en prie, épargnez-moi !
Mais la belette répondit :
– Je ne le puis, car je suis, par nature,
Ennemie des volatiles.

– Je ne suis pas oiseau, mais souris,
Repartit l'infortunée.

C'est ainsi qu'elle fut libérée.
À quelque temps de là,
La mésaventure se reproduisit.
Or, la seconde belette, cette fois-ci, prétendit
Qu'elle était l'ennemie des rats.

– Je ne suis pas un rat, mais un oiseau de nuit,
Jura l'astucieux animal.

Et cela lui sauva la vie.

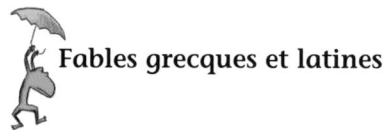

Le berger et le loup

Un berger faisait paître son troupeau dans la montagne.
Par jeu, quand il s'ennuyait, il aimait à crier :

– *Au loup ! Au loup !*

Et les paysans accouraient pour lui porter secours.
Le berger riait, ravi de son bon tour.
Un jour cependant, un loup survint.
Le berger appela, hurla, mais personne ne vint.
On crut que c'était là une de ses farces habituelles.
Hélas, l'affaire était réelle,
Et le loup emporta avec lui
Une de ses plus belles brebis.

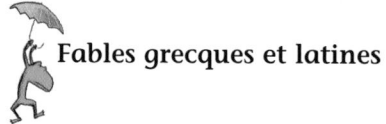

La fourmi et la colombe

Une fourmi, buvant à la fontaine,
Fut sur le point de s'y noyer.
Une colombe l'ayant vue
Lui lança une feuille de chêne
Pour en faire un radeau.
L'insecte fut sauvé.
À ce moment, un oiseleur à l'affût
Aperçut la colombe
Et voulut s'en saisir.
C'était compter sans la fourmi,
Qui l'avait vu venir.
Elle s'approcha de lui
Et le mordit au pied.
Si bien que l'oiseleur,
Tout occupé par la douleur,
Laissa la colombe s'envoler.

Il y a toujours un moyen
De rendre service à son tour
À qui vous a porté secours.

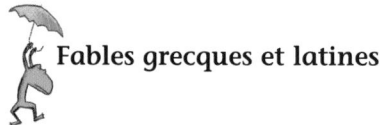
Le singe et le renard

Le singe fut élu roi
Par d'autres animaux
Parce qu'il était habile
Et sautait le plus haut.

Le renard, dépité,
Chercha une vengeance.
Découvrant un appât
Caché sous un filet,
Il prétendit avoir mis au jour un trésor :

– C'est à vous que revient ce morceau de choix,
Dit-il au singe, car vous êtes notre roi !

Le singe s'approcha pour saisir son dû
Et fut aussitôt pris au piège.
Le renard alors triompha :

– Vous prétendez nous diriger
Et je vous fais tomber
Dans une trappe à gibier !
Êtes-vous bien celui qu'il nous faut
Comme roi des animaux ?

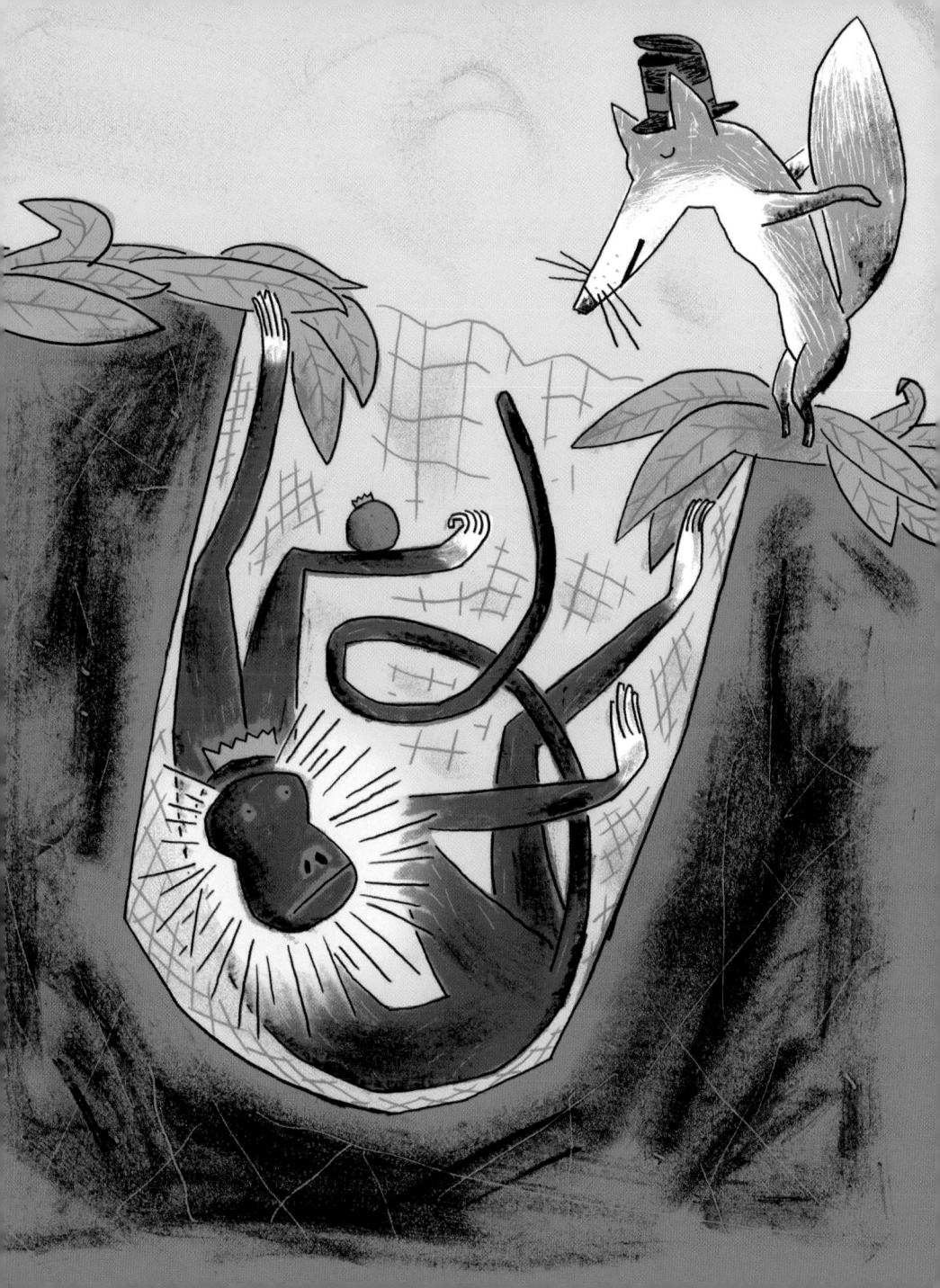

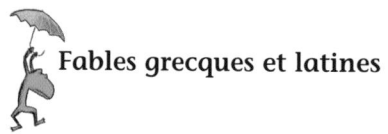

L'aigle, l'huître et la corneille

Un aigle voulait manger une huître,
Mais il ne trouvait pas le moyen de l'ouvrir.
Une corneille lui conseilla
De s'envoler le plus haut possible
Et de laisser tomber l'huître, pour la casser.
L'aigle écouta son avis,
Et lorsqu'il fut très haut dans le ciel,
Il lâcha sa proie,
Qui, sous le choc, s'ouvrit.

La corneille, restée à terre,
S'en saisit et s'en régala,
Sous les yeux de l'aigle, bien déconfit.

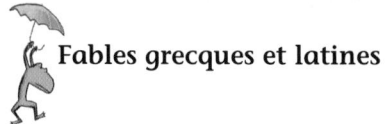

Le paon et la grue

Le paon prenait son repas avec la grue.
Il déployait sa queue
Et faisait miroiter ses plumes multicolores
Devant la grue au plumage modeste :

– Les dieux ne vous ont point gâtée, ma chère !
Voyez la différence, entre ma parure et la vôtre !

La grue ne voulut pas être en reste.
Elle prit son envol, et, toisant le paon, lui lança :

– Que dites-vous de mes plumes
Qui me portent vers le ciel,
Comme l'aigle et l'hirondelle ?
Tandis que votre corps si lourd
Vous maintient au ras du sol,
Comme les oiseaux de basse-cour !

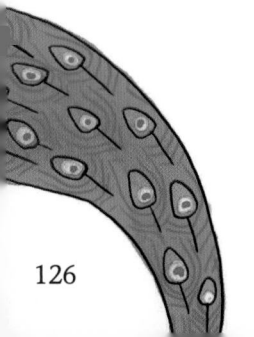

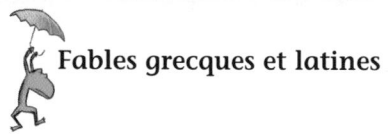

Le cerf à la fontaine

Un cerf se mirait dans l'eau d'une fontaine.
Il était fier de ses bois,
Mais regrettait ses pattes trop frêles.
Un chasseur surgit soudain,
Accompagné de ses chiens.
Le cerf prit la fuite, et ses jambes graciles
Le portèrent, en bonds légers,
Jusqu'à l'orée de la forêt.
  Mais là, ses bois magnifiques
    S'emmêlèrent aux branches des arbres,
      Et le cerf fut bel et bien pris.

  Il comprit alors que ses pattes méprisées
    Lui avaient permis d'échapper
      À la course des chiens,
    Alors que ses bois admirables
      Étaient hélas responsables
      De sa triste fin.

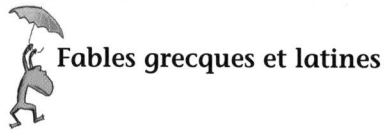

Le loup et le héron

Un loup avait mangé si vite
Qu'un os lui était resté
En travers du gosier.
Rencontrant un héron,
Il le pria de le lui retirer.
L'oiseau plongea son bec
Dans la gorge du loup,
Enleva l'os, et voulut se faire payer.

– Vous payer ! dit l'ingrat,
Estimez-vous heureux d'avoir la liberté.
J'aurais pu cent fois vous croquer !

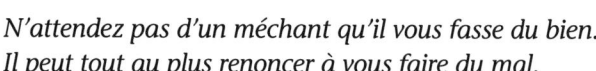

N'attendez pas d'un méchant qu'il vous fasse du bien.
Il peut tout au plus renoncer à vous faire du mal.

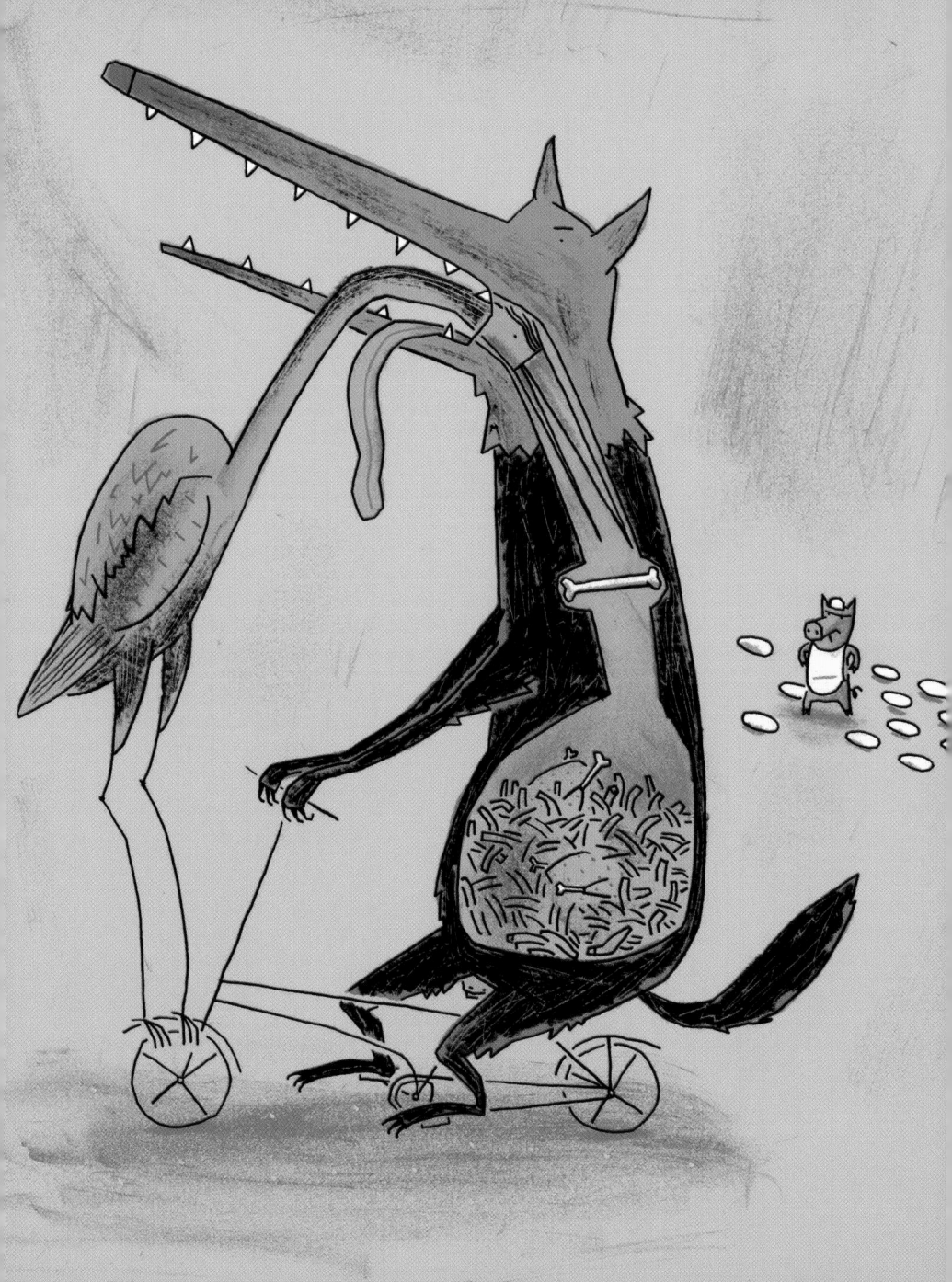

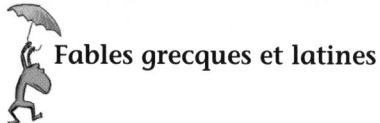

La corneille avisée

Une corneille assoiffée
Trouva, par hasard, une cruche
Où restait un peu d'eau.
« Comment procéder, se dit-elle,
Pour en faire monter le niveau ? »
De son bec, elle tenta
De casser le col
Pour transformer le pot en bol,
Mais elle n'y parvint pas.
La corneille eut alors l'idée
De jeter des petits cailloux
Au fond du récipient,
Jusqu'à ce que ceux-ci
Fassent monter l'eau assez haut,
Et qu'elle puisse se désaltérer.

Pour chaque problème posé,
Il existe au moins une solution.

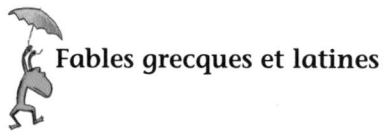
Le loup jouant de la flûte

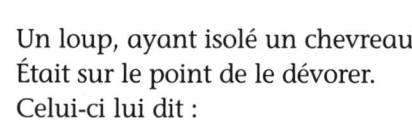

Un loup, ayant isolé un chevreau,
Était sur le point de le dévorer.
Celui-ci lui dit :
– Loup, je sais que tu vas me manger,
Mais avant, j'aimerais te demander une faveur.
Je connais ton talent de musicien.
Peux-tu jouer de la flûte pour moi,
Ainsi, je mourrai en dansant.
Le loup, flatté, saisit l'instrument
Et se mit à souffler avec entrain.
Les chiens, alertés par le bruit,
Accoururent auprès du cabri,
Et le loup dut prendre la fuite.

« C'est bien fait pour moi, se dit-il,
Ce n'était pas l'heure de jouer de la musique,
Mais plutôt d'apaiser ma faim ! »

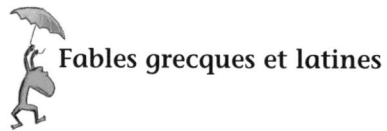
Le renard et le chat

Le renard discutait de ses mérites
Avec le chat :

– Je suis le plus rusé des animaux,
Tout le monde sait cela,
Et, grâce à ma finesse,
Je sors à mon avantage
De bien des situations.

– Tu es rusé, peut-être, dit le chat,
Mais j'ai d'autres atouts :
De bonnes griffes, et de la souplesse,
Qui souvent me tirent d'embarras.

Soudain, on entendit des aboiements féroces.
Le chat, d'un bond, grimpa
Dans l'arbre le plus proche,
Tandis que le renard
Dut affronter les chiens.
Son intelligence, cette fois,
Ne lui servit à rien !

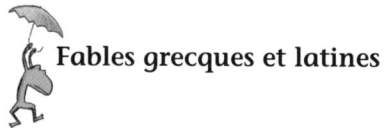
Le bûcheron et sa hache

Un bûcheron travaillant au bord d'une rivière
Y laissa tomber sa hache.
Un dieu l'apprit et eut pitié de lui.
Il plongea dans l'eau et en sortit une hache d'or.
Le bûcheron la refusa.
Il plongea à nouveau et remonta une hache d'argent.
L'homme la refusa encore.
Le dieu fit une troisième tentative
Et rapporta la hache du bûcheron, qui l'accepta.
En gage de son honnêteté,
Le dieu les lui offrit toutes les trois.
Le bûcheron raconta l'histoire à ses amis
Et l'un d'eux voulut tenter l'aventure.
Il vint au bord de la rivière,
Y jeta sa hache, et attendit.
La même chose se produisit.
Mais quand le dieu lui présenta la hache d'or,
Le menteur prétendit que c'était bien à lui.
En punition de son mensonge,
Il ne reçut ni l'une ni l'autre.

Les dieux sont favorables aux gens honnêtes,
Mais hostiles aux menteurs.

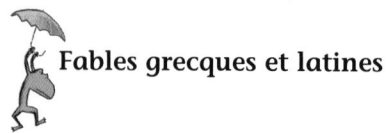

Les plumes du geai

Un geai au plumage sombre
Voulait se mêler aux colombes
Pour partager leur plantureux repas.
Il se poudra de blanc
Et se joignit à elles.
Tout à coup, par mégarde,
Il laissa échapper un cri.
Reconnaissant ainsi
Qu'il n'était pas des leurs,
Les blanches colombes
Le chassèrent à grand bruit.
Notre geai, tout penaud,
S'en retourna chez lui,
Où il fut fort mal accueilli.
– Hors d'ici, tu n'es pas des nôtres !
Notre plumage est noir,
Le tien est bien trop clair !

Voilà comment l'oiseau,
Voulant se rassasier des deux côtés,
Fut chassé par l'un et par l'autre.

Le vent et le soleil

Le vent dit un jour au soleil :
– Connaissez-vous ma force ?
Je vous mets au défi de vous y mesurer !
Le soleil tint le pari.
– Voyez, cet homme, là-bas, reprit le vent,
Qui de nous deux parviendra à le déshabiller ?
Et le vent se mit à souffler, souffler,
Le plus fort qu'il pouvait.
L'homme serrait son manteau,
Son écharpe et son bonnet,
Les bras repliés contre lui
Pour retenir ses habits.
– À mon tour, dit le soleil,
Puisque tu n'as pas réussi !
Il se mit alors à briller, briller,
Et à réchauffer l'homme frigorifié.
Tant et si bien que celui-ci
Finit par avoir trop chaud.
Il retira son chapeau,
Son écharpe, son manteau
Et tous ses vêtements.
– Tu vois, dit le soleil au vent,
Point n'est besoin d'être violent
Pour obtenir ce que l'on veut !

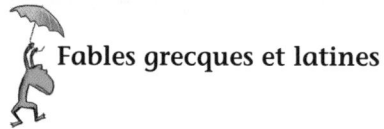

Le loup et l'âne

Un âne innocemment
Broutait dans un pré,
Lorsqu'un loup affamé
L'aperçut et s'approcha de lui.
L'âne, aussitôt, devinant le danger,
Fit semblant de boiter,
Prit un air abattu,
Et lui dit :

– Je sais que vous allez me dévorer,
Monsieur le Loup, mais d'abord,
Je vous prie de me retirer
L'écharde que j'ai dans le pied,
Pour que je n'aie pas à subir
Une double torture au moment de mourir.

Le loup accepta.
Il souleva la patte de l'âne
Pour le délivrer de l'épine.
Celui-ci, en remerciement,
Décocha au pauvre loup
Une ruade meurtrière
Qui lui fracassa la mâchoire.

Voilà comment,
À vouloir se rendre utile à son ennemi,
On en devient la victime.

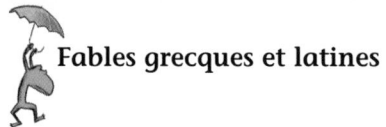
L'épervier et la colombe

L'épervier poursuivait une colombe
Pour en faire son dîner,
Quand il fut pris dans les mailles d'un filet.

– Je vous en prie, dit-il au chasseur,
Rendez-moi ma liberté !
Je ne vous ai jamais causé
Ni tort, ni ennuis.

– C'est vrai, répondit le chasseur,
Mais la colombe que tu poursuivais,
Était elle-même bien innocente.
Si tu avais pu l'attraper,
Lui aurais-tu laissé la vie ?

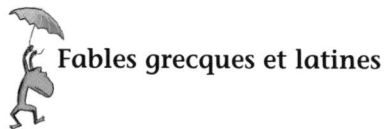
L'avare

Un avare convertit tout son argent
En un lingot d'or
Qu'il enfouit dans la terre.
Chaque jour il venait contempler son trésor.
Un ouvrier, l'ayant vu faire,
Vint en secret dérober le magot.
Lorsque l'avare découvrit
Que sa cachette était vide,
Il éclata en sanglots.

Un passant, à qui il contait l'affaire, lui dit :
– Ne sois pas si désespéré.
Ton or ne te servait à rien
Puisqu'il était enterré.
Mets à sa place un gros caillou,
☆ Et viens tous les jours l'admirer !

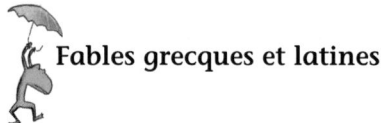

Les voyageurs et l'ours

Deux amis étaient en chemin,
Lorsqu'ils rencontrèrent un ours.
L'un d'eux, pris de terreur,
Grimpa dans l'arbre le plus proche,
Tandis que l'autre, seul face à l'animal,
S'étendit à terre et fit le mort.
L'ours tourna autour de lui,
Le regarda, le toucha, le sentit
Et, voyant qu'il ne bougeait pas, s'en alla,
Les morts ne l'intéressant pas.
Une fois qu'il fut parti, le premier voyageur
Descendit de son arbre et dit à son ami :
– J'ai vu l'ours t'approcher.
T'a-t-il parlé ? Que t'a-t-il dit ?

– Il m'a conseillé de ne plus voyager
Avec des amis qui fuient devant le danger !

Les grenouilles
qui voulaient un roi

Les grenouilles dissipées et bruyantes
Demandèrent au dieu
De leur envoyer un roi,
Pour mettre de l'ordre dans leur société.
Le dieu leur adressa un morceau de bois,
Qui, en tombant, leur causa grand effroi.
Comme il ne bougeait plus,
Les grenouilles s'approchèrent et l'examinèrent.
Leur roi tranquille
Restait immobile.
Alors, elles grimpèrent dessus,
Le bousculèrent, le chahutèrent.
N'obtenant aucune réaction,
Elles décidèrent que leur roi n'était pas bon.
Elles exigèrent du dieu un autre souverain.
Le dieu, agacé, leur envoya cette fois
Un serpent d'eau qui les dévora.

Mieux vaut accepter un bonheur imparfait
Qu'un mal fatal.

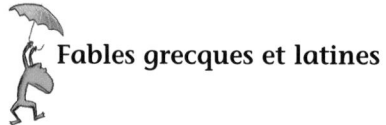

Les rats et le chat

Les rats tinrent conseil
Pour chercher ensemble une idée
Afin de se protéger
De leur ennemi le chat.

L'un d'eux, qui semblait sage,
Par l'expérience et son grand âge,
Proposa une solution.
– Il suffit, leur dit-il, de suspendre
Un grelot au cou du matou.
Par son tintement, il nous avertira.
Tous approuvèrent l'idée et crièrent « bravo ».

Jusqu'à ce qu'un plus âgé
Émette une objection :
– L'idée me semble bonne, à condition
Que l'un d'entre nous se dévoue
Pour attacher la clochette au chat.
Ce ne sera pas moi, en tout cas !
– Ni moi, ni moi, dirent les autres rats.

Et la proposition en resta là.

Lorsqu'il s'agit de discussion,
Chacun veut participer,
Mais personne n'est pressé
De passer à l'action !

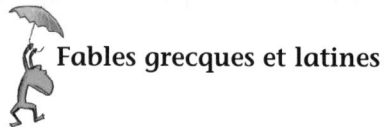

L'homme et son trésor

Un homme riche avait caché son or dans la forêt.
Personne n'était dans la confidence,
Excepté son ami, qui avait sa confiance.
Lorsqu'il revint visiter son trésor,
   Il trouva la cachette vidée.
     Soupçonnant son ami, il lui dit :
       – J'ai en ma possession d'autres pièces d'or
        Que je veux ajouter à ma cachette secrète.
      L'ami, espérant voler davantage,
       Rapporta le coffret là où il l'avait pris.
      Le propriétaire revint, déterra le trésor
      Et l'emporta chez lui.
       Puis il alla trouver celui qui, jadis, était son ami :
        – Ne prends pas la peine d'essayer
        De me voler une seconde fois.
       Mon or est bien caché,
       Tu ne le trouveras pas !

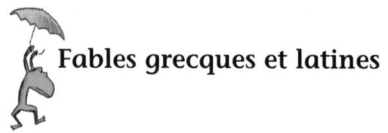

Le berger et la chèvre

Une chèvre rétive refusait de rentrer
Et priait le berger de lui accorder
Encore un peu de temps pour brouter.
Mais celui-ci s'impatienta,
Et lui lança une pierre
Qui lui brisa une corne.
Dans la crainte du maître,
Il supplia la chevrette :
– Je ne voulais pas te blesser.
De grâce, mon amie,
Ne me dénonce pas, je me ferai gronder !

La chèvre répondit :
– Ce ne sera que justice.
Tu t'es montré dur avec moi,
Et j'aurai beau me taire,

Ma corne parlera.

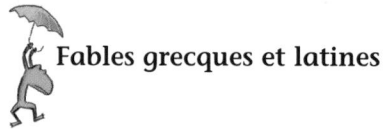
Les écrevisses

La mère de l'écrevisse
Dit un jour à sa fille :

– Pourquoi marches-tu de travers,
Au lieu d'aller tout droit ?

– Mère, répondit la fille,
Marche donc la première
Et je marcherai derrière toi.

La mère fut bien obligée
De reconnaître qu'elle-même
S'en allait sur le côté.

*Il est plus facile
De donner des conseils en parlant
Qu'en montrant l'exemple.*

Le loup et le chien

Un loup maigre rencontra sur son chemin
Un chien bien gras au poil brillant.
– Que manges-tu, lui dit-il,
Pour avoir si bonne mine ?
– Mon maître me nourrit bien,
Répondit le chien, et je dors à l'abri.
– Tu as bien de la chance.
Que faut-il donc faire
Pour obtenir ses faveurs ?
– Simplement garder la demeure
Contre les brigands, les voleurs.
Si la place te tente,
Je peux plaider ta cause.

Ils se mirent en chemin,
Et le loup s'aperçut soudain
Que le cou du chien était tout pelé.
Il questionna, inquiet :
– D'où cela te vient-il ?
– Ce n'est rien, seulement
Les marques de la chaîne
Que l'on me met au cou
Dans la journée,
Pour que je ne sois pas tenté
De mordre les visiteurs.
– Adieu donc, dit le loup,

*Je ne veux pas de ton bien-être
S'il doit me coûter ma liberté !*

Fables françaises

Illustrées par Sophie Bazin

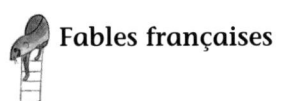

La cigale et la fourmi

Jean de La Fontaine

La cigale, ayant chanté
Tout l'été,
Se trouva fort dépourvue
Quand la bise fut venue :
Pas un seul petit morceau
De mouche ou de vermisseau.

Elle alla crier famine
Chez la fourmi sa voisine,
La priant de lui prêter
Quelque grain pour subsister
Jusqu'à la saison nouvelle.

« Je vous paierai, lui dit-elle,
Avant l'août, foi d'animal,
Intérêt et principal. »

La fourmi n'est pas prêteuse :
C'est là son moindre défaut.
« Que faisiez-vous au temps chaud ?
Dit-elle à cette emprunteuse.

– Nuit et jour à tout venant
Je chantais, ne vous déplaise.

– Vous chantiez ? j'en suis fort aise :
Eh bien ! dansez maintenant. »

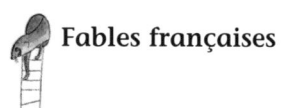

Le corbeau et le renard

Jean de La Fontaine

Maître corbeau, sur un arbre perché,
Tenait en son bec un fromage.
Maître renard, par l'odeur alléché,
Lui tint à peu près ce langage :

« Hé ! bonjour, Monsieur du Corbeau,

Que vous êtes joli !
que vous me semblez beau !

Sans mentir, si votre ramage
Se rapporte à votre plumage,
Vous êtes le phénix des hôtes de ces bois. »

À ces mots le corbeau ne se sent pas de joie ;
Et pour montrer sa belle voix,
Il ouvre un large bec, laisse tomber sa proie.

Le renard s'en saisit, et dit : « Mon bon Monsieur,
        Apprenez que tout flatteur
        Vit aux dépens de celui qui l'écoute :
Cette leçon vaut bien un fromage, sans doute. »

Le corbeau, honteux et confus,
Jura, mais un peu tard, qu'on ne l'y prendrait plus.

La grenouille qui veut se faire aussi grosse que le bœuf

Jean de La Fontaine

Une grenouille vit un bœuf
Qui lui sembla de belle taille.
Elle, qui n'était pas grosse en tout comme un œuf,
Envieuse, s'étend, et s'enfle, et se travaille,
Pour égaler l'animal en grosseur,
Disant : « Regardez bien, ma sœur ;
Est-ce assez ? dites-moi ; n'y suis-je point encore ?
– Nenni. – M'y voici donc ? – Point du tout. – M'y voilà ?
– Vous n'en approchez point. » La chétive pécore
S'enfla si bien

qu'elle creva.

Le monde est plein de gens qui ne sont pas plus sages :
Tout bourgeois veut bâtir comme les grands seigneurs,
Tout petit prince a des ambassadeurs,
Tout marquis veut avoir des pages.

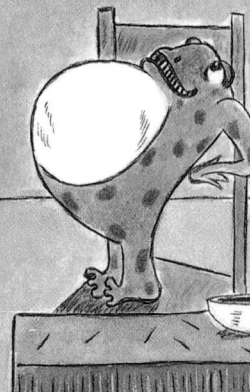

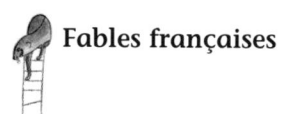

Le laboureur et ses enfants

Jean de La Fontaine

Travaillez, prenez de la peine :
C'est le fonds qui manque le moins.

Un riche laboureur, sentant sa mort prochaine,
Fit venir ses enfants, leur parla sans témoins.

« Gardez-vous, leur dit-il, de vendre l'héritage
Que nous ont laissé nos parents :
Un trésor est caché dedans.
Je ne sais pas l'endroit ; mais un peu de courage
Vous le fera trouver : vous en viendrez à bout.
Remuez votre champ dès qu'on aura fait l'août :
Creusez, fouillez, bêchez ; ne laissez nulle place
Où la main ne passe et repasse. »

Le père mort, les fils vous retournent le champ,
Deçà, delà, partout : si bien qu'au bout de l'an
Il en rapporta davantage.

D'argent, point de caché. Mais le père fut sage
De leur montrer, avant sa mort,
Que le travail est un trésor.

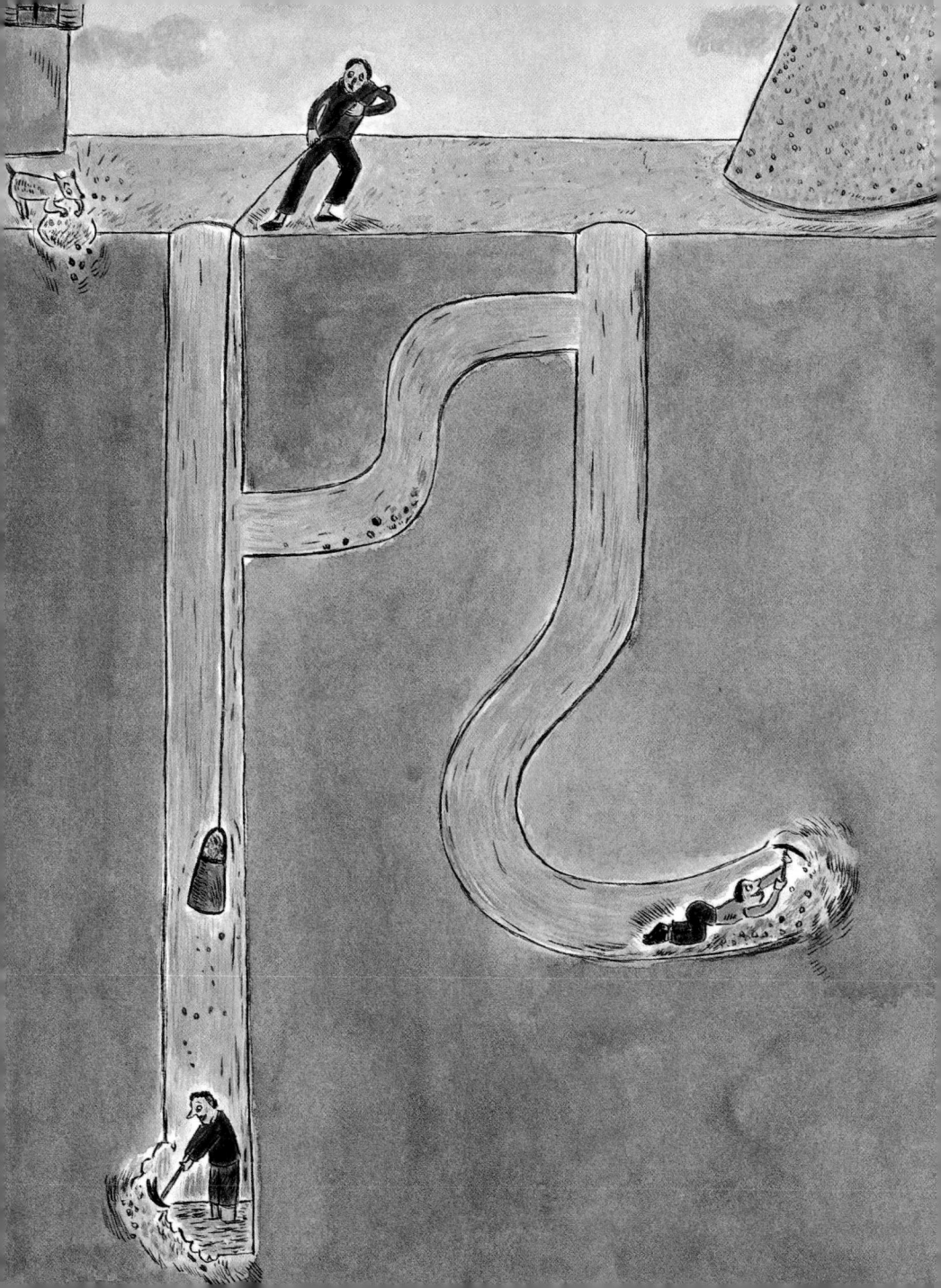

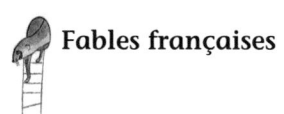

Le lion abattu par l'homme

Jean de La Fontaine

On exposait une peinture
Où l'artisan avait tracé
Un lion d'immense stature
Par un seul homme terrassé.

Les regardants en tiraient gloire.
Un lion en passant rabattit leur caquet.
« Je vois bien, dit-il, qu'en effet
On vous donne ici la victoire ;
Mais l'ouvrier vous a déçus,
Il avait liberté de feindre.
Avec plus de raison nous aurions le dessus,
Si mes confrères savaient peindre. »

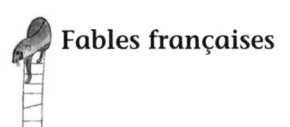

La poule aux œufs d'or

Jean de La Fontaine

L'avarice perd tout en voulant tout gagner.

Je ne veux, pour le témoigner,
Que celui dont la poule, à ce que dit la fable,
Pondait tous les jours un œuf d'or.

Il crut que dans son corps elle avait un trésor :
Il la tua, l'ouvrit, et la trouva semblable
À celles dont les œufs ne lui rapportaient rien,
S'étant lui-même ôté le plus beau de son bien.

Belle leçon pour les gens chiches !
Pendant ces derniers temps, combien en a-t-on vus,
Qui du soir au matin sont pauvres devenus,
Pour vouloir trop tôt être riches !

Le loup et l'agneau

Jean de La Fontaine

La raison du plus fort est toujours la meilleure :
    Nous l'allons montrer tout à l'heure.
Un agneau se désaltérait
Dans le courant d'une onde pure.
Un loup survint à jeun, qui cherchait aventure,
Et que la faim en ces lieux attirait.
        « Qui te rend si hardi de troubler mon breuvage ?
        Dit cet animal plein de rage :
        Tu seras châtié de ta témérité.
        – Sire, répond l'agneau, que Votre Majesté
        Ne se mette pas en colère ;
        Mais plutôt qu'Elle considère
        Que je me vas désaltérant
        Dans le courant,
        Plus de vingt pas au-dessous d'Elle :
        Et que par conséquent, en aucune façon,
        Je ne puis troubler sa boisson.
        – Tu la troubles, reprit cette bête cruelle :
        Et je sais que de moi tu médis l'an passé.
        – Comment l'aurais-je fait si je n'étais pas né ?
        Reprit l'agneau ; je tète encore ma mère.
        – Si ce n'est toi, c'est donc ton frère.
        – Je n'en ai point. – C'est donc quelqu'un des tiens ;
        Car vous ne m'épargnez guère,
        Vous, vos bergers et vos chiens.
        On me l'a dit : il faut que je me venge. »
Là-dessus, au fond des forêts
Le loup l'emporte et puis le mange,
        Sans autre forme de procès.

Le renard et la cigogne

Jean de La Fontaine

Compère le renard se mit un jour en frais,
Et retint à dîner commère la cigogne.
Le régal fut petit et sans beaucoup d'apprêts :
Le galant, pour toute besogne,
Avait un brouet clair ; il vivait chichement.
Ce brouet fut par lui servi sur une assiette :
La cigogne au long bec n'en put attraper miette,
Et le drôle eut lapé le tout en un moment.
  Pour se venger de cette tromperie,
  À quelque temps de là, la cigogne le prie.
  « Volontiers, lui dit-il ; car avec mes amis
  Je ne fais point cérémonie. »
  À l'heure dite, il courut au logis
  De la cigogne son hôtesse ;
  Loua très fort la politesse ;
  Trouva le dîner cuit à point :
  Bon appétit surtout ; renards n'en manquent point.
  Il se réjouissait à l'odeur de la viande
  Mise en menus morceaux, et qu'il croyait friande.
  On servit, pour l'embarrasser,
  En un vase à long col et d'étroite embouchure.
  Le bec de la cigogne y pouvait bien passer ;
  Mais le museau du sire était d'autre mesure.
  Il lui fallut à jeun retourner au logis,
  Honteux comme un renard qu'une poule aurait pris,
  Serrant la queue, et portant bas l'oreille.

  Trompeurs, c'est pour vous que j'écris :
   Attendez-vous à la pareille.

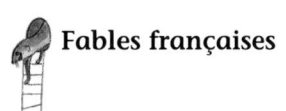

Fables françaises

Le lion et le rat

Jean de La Fontaine

Il faut, autant qu'on peut, obliger tout le monde,
On a souvent besoin d'un plus petit que soi.

[...]

Entre les pattes d'un lion
Un rat sortit de terre assez à l'étourdie.
Le roi des animaux, en cette occasion,
Montra ce qu'il était, et lui donna la vie.
Ce bienfait ne fut pas perdu.
Quelqu'un aurait-il jamais cru
Qu'un lion d'un rat eût affaire ?
Cependant il advint qu'au sortir des forêts
Ce lion fut pris dans des rets,
Dont ses rugissements ne le purent défaire.
Sire rat accourut, et fit tant par ses dents
Qu'une maille rongée emporta tout l'ouvrage.

Patience et longueur de temps
Font plus que force ni que rage.

Le chameau
et les bâtons flottants

Jean de La Fontaine

Le premier qui vit un chameau
S'enfuit à cet objet nouveau ;
Le second s'approcha ; le troisième osa faire
Un licou pour le dromadaire.

L'accoutumance ainsi nous rend tout familier.
Ce qui nous paraissait terrible et singulier
S'apprivoise avec notre vue
Quant ce vient à la continue.

Et puisque nous voici tombés sur ce sujet,
On avait mis des gens au guet,
Qui, voyant sur les eaux de loin certain objet,
Ne purent s'empêcher de dire
Que c'était un puissant navire.
Quelques moments après, l'objet devint brûlot,
Et puis nacelle, et puis ballot,
Enfin bâtons flottants sur l'onde.

*J'en sais beaucoup de par le monde
À qui ceci conviendrait bien :
De loin, c'est quelque chose, et de près, ce n'est rien.*

Le paon se plaignant à Junon

Jean de La Fontaine

Le paon se plaignait à Junon.
« Déesse, disait-il, ce n'est pas sans raison
Que je me plains, que je murmure :
Le chant dont vous m'avez fait don
Déplaît à toute la nature ;
Au lieu qu'un rossignol, chétive créature,
Forme des sons aussi doux qu'éclatants,
Est lui seul l'honneur du printemps. »

Junon répondit en colère :
« Oiseau jaloux, et qui devrait te taire,
est-ce à toi d'envier la voix du rossignol,
Toi que l'on voit porter à l'entour de ton col
Un arc-en-ciel nué de cent sortes de soies ;
Qui te panades, qui déploies
Une si riche queue, et qui semble à nos yeux
La boutique d'un lapidaire ?
Est-il quelque oiseau sous les cieux
Plus que toi capable de plaire ?

Tout animal n'a pas toutes propriétés.
Nous vous avons donné diverses qualités :

Les uns ont la grandeur et la force en partage ;
Le faucon est léger, l'aigle plein de courage ;
Le corbeau sert pour le présage,
La corneille avertit des malheurs à venir,
Tous sont contents de leur ramage.
Cesse donc de te plaindre, ou bien, pour te punir,
Je t'ôterai ton plumage. »

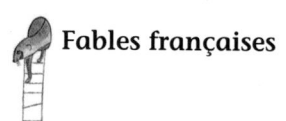

La montagne qui accouche

Jean de La Fontaine

Une montagne en mal d'enfant
Jetait une clameur si haute,
Que chacun, au bruit accourant,
Crut qu'elle accouchait, sans faute,
D'une cité plus grosse que Paris :

Elle accoucha d'une souris.

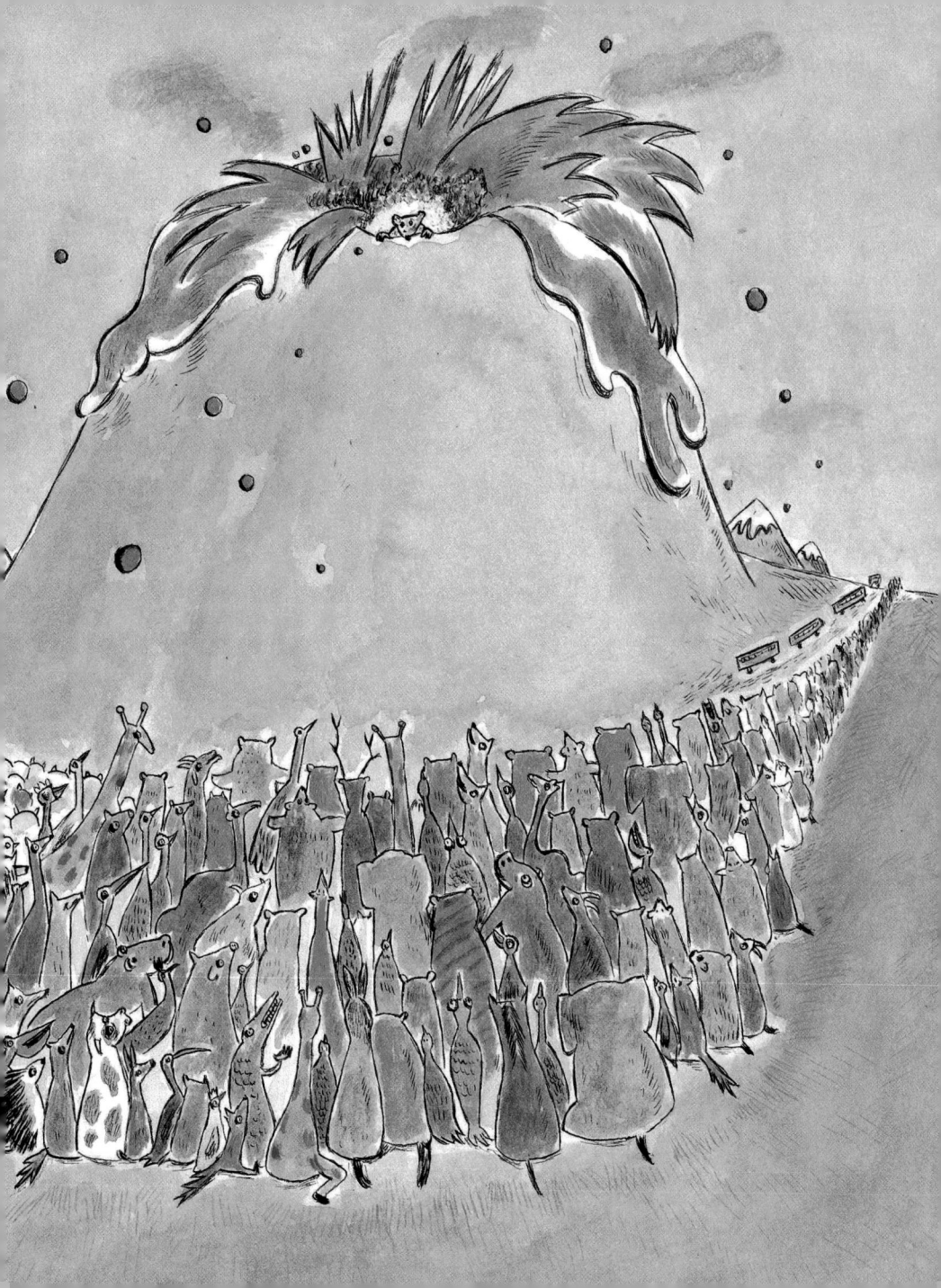

Le renard et le bouc

Jean de La Fontaine

Capitaine renard allait de compagnie
Avec son ami bouc des plus haut encornés :
Celui-ci ne voyait pas plus loin que son nez ;
L'autre était passé maître en fait de tromperie.
La soif les obligea de descendre en un puits :
Là, chacun d'eux se désaltère.
Après qu'abondamment tous deux en eurent pris,
Le renard dit au bouc : « Que ferons-nous, compère ?
Ce n'est pas tout de boire, il faut sortir d'ici.
Lève tes pieds en haut, et tes cornes aussi ;
Mets-les contre le mur : le long de ton échine
Je grimperai premièrement ;
Puis sur tes cornes m'élevant,
À l'aide de cette machine,
De ce lieu-ci je sortirai,
Après quoi je t'en tirerai.

– Par ma barbe, dit l'autre, il est bon ; et je loue
Les gens bien sensés comme toi.
Je n'aurais jamais, quant à moi,
Trouvé ce secret, je l'avoue. »
Le renard sort du puits, laisse son compagnon
Et vous lui fait un beau sermon
Pour l'exhorter à la patience.
« Si le ciel t'eût, dit-il, donné par excellence
Autant de jugement que de barbe au menton,
Tu n'aurais pas, à la légère,
Descendu dans ce puits. Or adieu ; j'en suis hors,
Tâche de t'en tirer, et fais tous tes efforts ;
Car, pour moi, j'ai certaine affaire
Qui ne me permet pas d'arrêter en chemin. »

En toute chose il faut considérer la fin.

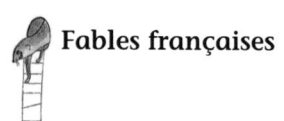

Le renard et les raisins

Jean de La Fontaine

Certain renard gascon, d'autres disent normand,
Mourant presque de faim, vit au haut d'une treille
Des raisins mûrs apparemment,
Et couverts d'une peau vermeille.
Le galant en eût fait volontiers un repas ;
Mais, comme il n'y pouvait atteindre :

« Ils sont trop verts, dit-il,
et bons pour des goujats. »

Fit-il pas mieux que de se plaindre ?

La belette entrée dans un grenier

Jean de La Fontaine

Damoiselle belette, au corps long et fluet,
Entra dans un grenier par un trou fort étroit :
Elle sortait de maladie.
Là, vivant à discrétion,
La galante fit chère lie,
Mangea, rongea : Dieu sait la vie,
Et le lard qui périt en cette occasion !

La voilà, pour conclusion,
Grasse, mafflue et rebondie.
Au bout de la semaine, ayant dîné son soûl,
Elle entend quelque bruit, veut sortir par le trou,
Ne peut plus repasser, et croit s'être méprise.
Après avoir fait quelques tours,

*« C'est, dit-elle, l'endroit : me voilà bien surprise ;
J'ai passé par ici depuis cinq ou six jours. »*

Un rat, qui la voyait en peine,
Lui dit : « Vous aviez lors la panse un peu moins pleine.
Vous êtes maigre entrée, il faut maigre sortir.
Ce que je vous dis là, l'on le dit à bien d'autres ;
Mais ne confondons point, par trop approfondir,
Leurs affaires avec les vôtres. »

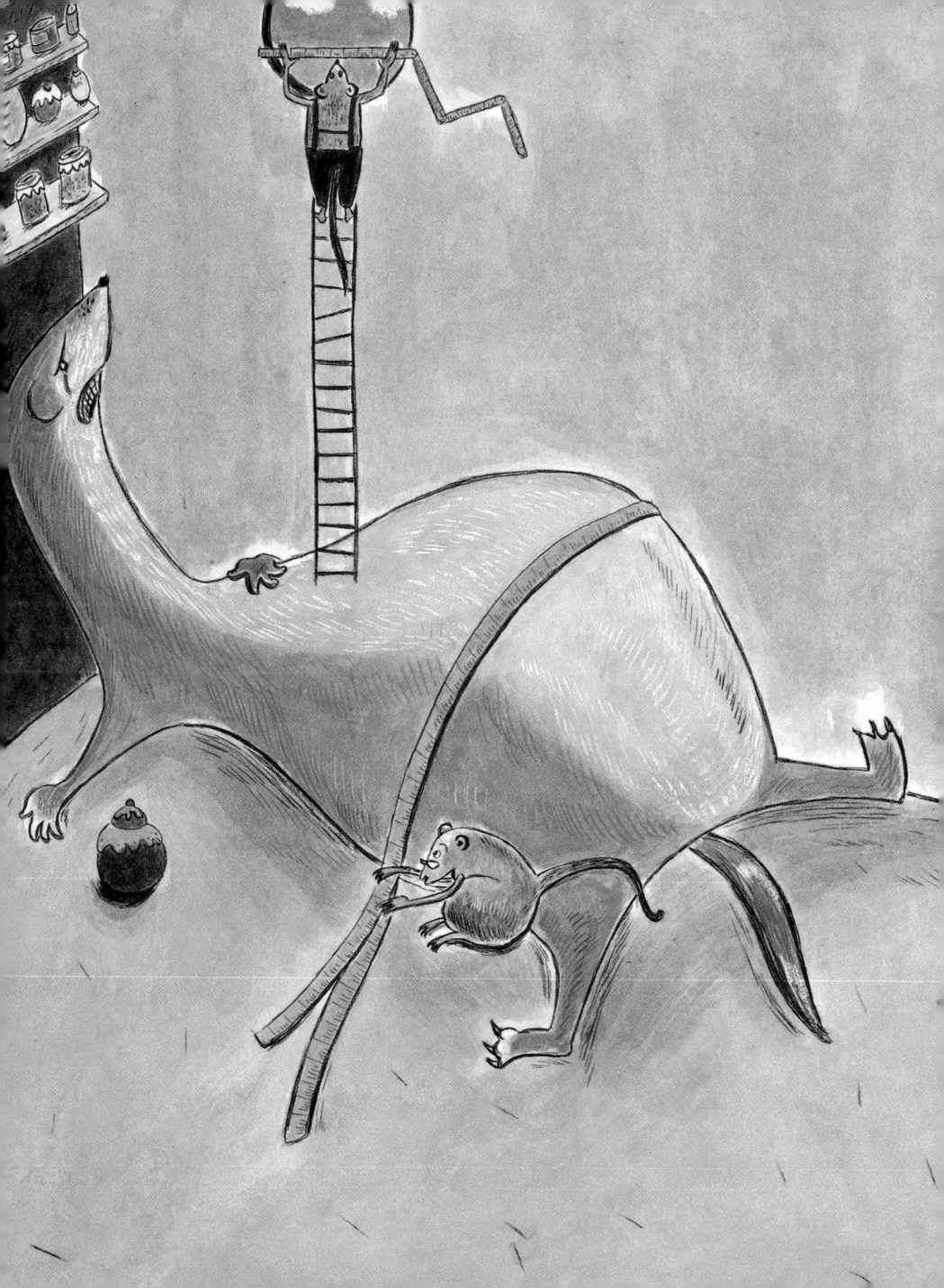

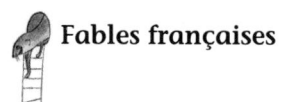

Le geai paré
des plumes du paon

Jean de La Fontaine

Un paon muait : un geai prit son plumage ;
Puis après se l'accommoda ;
Puis parmi d'autres paons tout fier se pavana,
Croyant être un beau personnage.
Quelqu'un le reconnut : il se vit bafoué,
Berné, sifflé, moqué, joué,
Et par Messieurs les paons plumé d'étrange sorte ;
Même vers ses pareils s'étant réfugié,
Il fut par eux mis à la porte.

Il est assez de geais à deux pieds comme lui,
Qui se parent souvent des dépouilles d'autrui,
Et que l'on nomme plagiaires.

Je m'en tais, et ne veux leur causer nul ennui :
Ce ne sont pas là mes affaires.

Le loup, la chèvre et le chevreau

Jean de La Fontaine

La bique allant remplir sa traînante mamelle,
    Et paître d'herbe nouvelle,
        Ferma sa porte au loquet,
            Non sans dire à son biquet :
            « Gardez-vous, sur votre vie,
            D'ouvrir que l'on ne vous die
            Pour enseigne et mot du guet :
            Foin du loup et de sa race ! »

    Comme elle disait ces mots,
        Le loup de fortune passe ;
    Il les recueille à propos,
Et les garde en sa mémoire.   La bique, comme on peut croire,
                    N'avait pas vu le glouton.
            Dès qu'il la voit partie, il contrefait son ton
                Et d'une voix papelarde
        Il demande qu'on ouvre, en disant : « Foin du loup ! »
            Et croyant entrer tout d'un coup.
        Le biquet soupçonneux par la fente regarde :
        « Montrez-moi patte blanche, ou je n'ouvrirai point »,
        S'écria-t-il d'abord. (Patte blanche est un point
        Chez les loups, comme on sait, rarement en usage.)
        Celui-ci, fort surpris d'entendre ce langage,
            Comme il était venu s'en retourna chez soi.

            Où serait le biquet s'il eût ajouté foi
                Au mot du guet que de fortune
                Notre loup avait entendu ?

                Deux sûretés valent mieux qu'une,
                    Et le trop en cela ne fut jamais perdu.

198

Le petit poisson et le pêcheur

Jean de La Fontaine

Petit poisson deviendra grand,
Pourvu que Dieu lui prête vie ;
Mais le lâcher en attendant,
Je tiens pour moi que c'est folie :
Car de le rattraper il n'est pas trop certain.

Un carpeau, qui n'était encore que fretin,
Fut pris par un pêcheur au bord d'une rivière.
« Tout fait nombre, dit l'homme en voyant son butin ;
Voilà commencement de chère et de festin :
Mettons-le en notre gibecière. »

Le pauvre carpillon lui dit en sa manière :
« Que ferez-vous de moi ? je ne saurais fournir
Au plus qu'une demi-bouchée.
Laissez-moi carpe devenir :
Je serai par vous repêchée ;
Quelque gros partisan m'achetera bien cher :
Au lieu qu'il vous en faut chercher
Peut-être encore cent de ma taille
Pour faire un plat : quel plat ? croyez-moi, rien qui vaille.

– Rien qui vaille ? Eh bien ! soit, repartit le pêcheur ;
Poisson, mon bel ami, qui faites le prêcheur,
Vous irez dans la poêle ; et vous avez beau dire,
Dès ce soir on vous fera frire. »

Un tien vaut, ce dit-on, mieux que deux tu l'auras :
L'un est sûr, l'autre ne l'est pas.

Le héron

Jean de La Fontaine

Un jour, sur ses longs pieds, allait, je ne sais où,
Le héron au long bec emmanché d'un long cou.
Il côtoyait une rivière.
L'onde était transparente ainsi qu'aux plus beaux jours ;
Ma commère la carpe y faisait mille tours,
Avec le brochet son compère.
Le héron en eût fait aisément son profit :
Tous approchaient du bord ; l'oiseau n'avait qu'à prendre.
Mais il crut mieux faire d'attendre
Qu'il eût un peu plus d'appétit :
Il vivait de régime et mangeait à ses heures.
Après quelques moments, l'appétit vint : l'oiseau,
S'approchant du bord, vit sur l'eau
Des tanches qui sortaient du fond de ces demeures.
Le mets ne lui plut pas ; il s'attendait à mieux,
Et montrait un goût dédaigneux,
Comme du rat le bon Horace.
« Moi, des tanches ! dit-il ; moi, héron, que je fasse
Une si pauvre chère ? Et pour qui me prend-on ? »
La tanche rebutée, il trouva du goujon.
« Du goujon ! c'est bien là le dîner d'un héron !
J'ouvrirais pour si peu le bec ! aux dieux ne plaise ! »
Il l'ouvrit pour bien moins : tout alla de façon
Qu'il ne vit plus aucun poisson.
La faim le prit : il fut tout heureux et tout aise
De rencontrer un limaçon.

Ne soyons pas si difficiles :
Les plus accommodants, ce sont les plus habiles ;
On hasarde de perdre en voulant trop gagner. Gardez-vous de rien dédaigner.

La laitière et le pot au lait

Jean de La Fontaine

Perrette, sur sa tête ayant un pot au lait
Bien posé sur un coussinet,
Prétendait arriver sans encombre à la ville.
Légère et court vêtue, elle allait à grands pas,
Ayant mis ce jour-là, pour être plus agile,
Cotillon simple et souliers plats.

Notre laitière ainsi troussée
Comptait déjà dans sa pensée
Tout le prix de son lait, en employait l'argent ;
Achetait un cent d'œufs, faisait triple couvée :
La chose allait à bien par son soin diligent.
« Il m'est, disait-elle, facile
D'élever des poulets autour de ma maison ;
Le renard sera bien habile
S'il ne m'en laisse assez pour avoir un cochon.
Le porc à s'engraisser coûtera peu de son ;
Il était, quand je l'eus, de grosseur raisonnable :
Et qui m'empêchera de mettre en notre étable,
Vu le prix dont il est, une vache et son veau,
Que je verrai sauter au milieu du troupeau ? »
Perrette là-dessus saute aussi, transportée :
Le lait tombe ; adieu veau, vache, cochon, couvée.
La dame de ces biens, quittant d'un œil marri
Sa fortune ainsi répandue,
Va s'excuser à son mari,
En grand danger d'être battue.
Le récit en farce en fut fait ;
On l'appela le Pot au lait.

Le rossignol et le prince

Pierre Claris de Florian

Un jeune prince, avec son gouverneur,
Se promenait dans un bocage,
Et s'ennuyait, suivant l'usage :
C'est le profit de la grandeur.
Un rossignol chantait sous le feuillage :
Le prince l'aperçoit, et le trouve charmant ;
Et, comme il était prince, il veut dans le moment
L'attraper et le mettre en cage.
Mais pour le prendre il fait du bruit,
Et l'oiseau fuit.
Pourquoi donc, dit alors son altesse en colère,
Le plus aimable des oiseaux
Se tient-il dans les bois, farouche et solitaire,
Tandis que mon palais est rempli de moineaux ?
C'est, lui dit le Mentor, afin de vous instruire
De ce qu'un jour vous devez éprouver :

Les sots savent tous se produire ;
Le mérite se cache, il faut l'aller trouver.

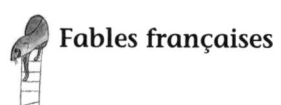

La brebis et le chien

Pierre Claris de Florian

La brebis et le chien, de tous les temps amis,
Se racontaient un jour leur vie infortunée.

– Ah ! disait la brebis, je pleure et je frémis,
Quand je songe aux malheurs de notre destinée.
Toi, l'esclave de l'homme, adorant des ingrats,
Toujours soumis, tendre et fidèle,
Tu reçois, pour prix de ton zèle,
Des coups, et souvent le trépas.
Moi, qui tous les ans les habille,
Qui leur donne du lait et qui fume leurs champs,
Je vois chaque matin quelqu'un de ma famille
Assassiné par ces méchants.
Leurs confrères les loups dévorent ce qui reste.
Victimes de ces inhumains,
Travailler pour eux seuls, et mourir par leurs mains,
Voilà notre destin funeste !
       – Il est vrai, dit le chien :
      Mais crois-tu plus heureux
      Les auteurs de notre misère ?

Va, ma sœur, il vaut encore mieux
Souffrir le mal que de le faire.

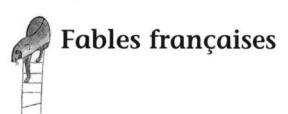

Les deux voyageurs

Pierre Claris de Florian

Le compère Thomas et son ami Lubin
Allaient à pied tous deux à la ville prochaine.
Thomas trouve sur son chemin
Une bourse de louis pleine ;
Il l'empoche aussitôt. Lubin d'un air content,
Lui dit : « Pour nous la bonne aubaine !

– Non, répond Thomas froidement,
Pour nous n'est pas bien dit ; pour moi, c'est différent. »

Lubin ne souffle plus ; mais en quittant la plaine,
Ils trouvent des voleurs cachés au bois voisin.
Thomas tremblant, et non sans cause,
Dit : « Nous sommes perdus ! – Non, lui répond Lubin,
Nous n'est pas le vrai mot ; mais toi, c'est autre chose. »

Cela dit, il s'échappe à travers les taillis.
Immobile de peur, Thomas est bientôt pris :
Il tire la bourse, et la donne.

Qui ne songe qu'à soi quand sa fortune est bonne
Dans le malheur n'a point d'amis.

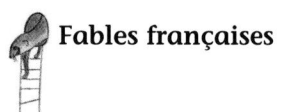

La chenille

Pierre Claris de Florian

Un jour, causant entre eux, différents animaux
louaient beaucoup le ver à soie.

Quel talent, disaient-ils, cet insecte déploie
en composant ces fils si doux, si fins, si beaux,
qui de l'homme font la richesse !

Tous vantaient son travail, exaltaient son adresse.
Une chenille seule y trouvait des défauts,
aux animaux surpris en faisait la critique,
disait des mais, et puis des si.

Un renard s'écria : messieurs, cela s'explique ;
c'est que madame file aussi.

La guenon, le singe et la noix

Pierre Claris de Florian

Une jeune guenon cueillit
Une noix dans sa coque verte ;
Elle y porte la dent, fait la grimace... ah ! Certes,
Dit-elle, ma mère mentit
Quand elle m'assura que les noix étaient bonnes.
Puis, croyez aux discours de ces vieilles personnes
Qui trompent la jeunesse ! Au diable soit le fruit !

Elle jette la noix. Un singe la ramasse,
Vite entre deux cailloux la casse,
L'épluche, la mange, et lui dit :
Votre mère eut raison, ma mie :
Les noix ont fort bon goût, mais il faut les ouvrir.

Souvenez-vous que, dans la vie,
Sans un peu de travail on n'a point de plaisir.

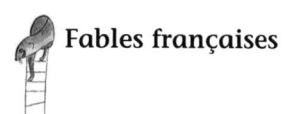

Le grillon

Pierre Claris de Florian

Un pauvre petit grillon
Caché dans l'herbe fleurie
Regardait un papillon
Voltigeant dans la prairie.
    L'insecte ailé brillait des plus vives couleurs ;
    L'azur, le pourpre et l'or éclataient sur ses ailes ;
    Jeune, beau, petit-maître, il court de fleurs en fleurs ;
    Prenant et quittant les plus belles.
Ah ! Disait le grillon, que son sort et le mien
Sont différents ! Dame nature
Pour lui fit tout et pour moi rien.
Je n'ai point de talent, encor moins de figure ;
Nul ne prend garde à moi, l'on m'ignore ici bas :
Autant vaudrait n'exister pas.
    Comme il parlait, dans la prairie arrive une troupe d'enfants ;
    Aussitôt les voilà courants
    Après ce papillon dont ils ont tous envie.
    Chapeaux, mouchoirs, bonnets, servent à l'attraper.
    L'insecte vainement cherche à leur échapper,
    Il devient bientôt leur conquête.
    L'un le saisit par l'aile, un autre par le corps ;
    Un troisième survient et le prend par la tête.
    Il ne fallait pas tant d'efforts
    Pour déchirer la pauvre bête.
Oh ! Oh ! Dit le grillon, je ne suis plus fâché ;
Il en coûte trop cher pour briller dans le monde.
Combien je vais aimer ma retraite profonde !

Pour vivre heureux vivons caché.

Fables africaines

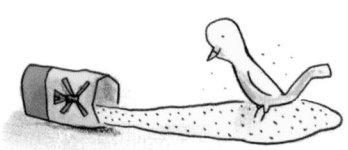

Fables orientales

Fables grecques et latines

Fables françaises

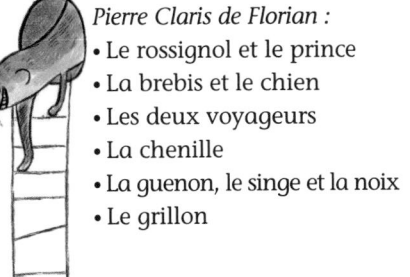

**Corinne Albaut s'est inspirée
de fables glanées dans les ouvrages suivants :**

Trente-sept fables d'Afrique, de Jan Knappert ;
Dix-neuf fables de singes, Dix-neuf fables du roi lion et *Dix-neuf fables
de renard,* de Jean Muzi, parus chez Castor Poche / Flammarion.

Le cercle des menteurs, de Jean-Claude Carrière, paru chez Pocket.

Fables d'Ésope, traduction de Daniel Loayza, paru chez Garnier-Flammarion

Sagesses et malices de Confucius, le roi sans royaume, de Maxence Fermine ;
Sagesses et malices de la Perse, de Lila Ibrahim-Ouali et Bahman Namvar-Motlag ;
Sagesses et malices de la Chine ancienne, de Lisa Bresner ;
Sagesses et malices de M'Bolo, le lièvre d'Afrique, d'Ébokéa ;
Sagesses et malices de Nasreddine, le fou qui était sage, de Jihad Darwiche ;
Tous parus chez Albin Michel Jeunesse.

Dans la même collection

101 poésies et comptines du bout du pré

101 poèmes pour les petits

101 chansons de toujours

101 poésies et comptines en musique

Comptines des petites bêtes

Comptines des sorcières

Comptines des chats

Contes en comptines

Comptines de Noël

Comptines de l'alphabet

Comptines des métiers

Comptines de ma famille

Le moulin à paroles

Du même auteur chez Bayard Jeunesse

101 poésies et comptines tout autour du monde

101 poésies et comptines des quatre saisons

101 comptines à mimer et à jouer

101 poésies et comptines en musique

Photogravure : Color'way
Impression et reliure : Pollina s.a., 85400 Luçon
N° d'impression : L42237 - N° d'éditeur : 7143
Imprimé en France